Ma vie en mouvement

Ma vie en mouvement

Monique F. Leroux

En collaboration avec Benoit Gignac

© 2016 Les Éditions Caractère inc.
Révision linguistique : Françoise Major-Cardinal
Correction d'épreuves : Maryse Froment-Lebeau
Conception graphique et infographie : Julie Deschênes
Conception de la couverture : Julie Deschênes

Sources iconographiques
Couverture : © Desjardins, photo de J.P. Moczulski

Les Éditions Transcontinental

5800, rue Saint-Denis, bureau 900
Montréal (Québec) H2S 3L5 Canada
Téléphone : 514 273-1066
Télécopieur : 514 276-0324 ou 1 800 814-0324
caractere@tc.tc

ISBN 978-2-89743-100-6
Dépôt légal : 2ᵉ trimestre 2016
Bibliothèque et Archives nationales du Québec
Bibliothèque et Archives Canada

Imprimé au Canada

1 2 3 4 5 M 20 19 18 17 16

Gouvernement du Québec – Programme de crédit d'impôt pour l'édition de livres
– Gestion SODEC.

Ce projet est financé en partie par le gouvernement du Canada

Monique F. Leroux

En collaboration avec
Benoit Gignac

MA VIE EN
MOUVEMENT

**L'histoire de la première femme
à la tête du Mouvement Desjardins**

Les Éditions
Transcontinental

les affaires

Table des matières

Préface

Depuis que je suis toute petite, j'ai appris à déchiffrer plusieurs sortes de partitions. Elles furent d'abord musicales.

À première vue, ces transcriptions de notes peuvent paraître rébarbatives. Je me souviens des portées, des clés, des notes ; une série d'informations codées, appuyées sur le lutrin de mon piano. Pour en faire quoi ? Les apprendre, les communiquer, tenter de les transformer en une mélodie. Idéalement en une émotion.

Lorsque, plus tard, j'ai peiné devant des problèmes de comptabilité ou analysé des bilans financiers — d'autres types de partitions —, j'ai toujours cherché à saisir le message, l'intention derrière les chiffres. Encore aujourd'hui, devant un projet ou une proposition d'investissement ou de financement, je cherche à entendre, au-delà de ce qui m'est présenté, ce que l'on a à me dire. Je veux comprendre la destination.

Des professeurs et des mentors m'ont appris la rigueur et les nuances, pour que j'interprète à ma manière ce qui l'a déjà été tant de fois ; pour que l'on puisse jouer à plusieurs une œuvre commencée il y a 115 ans par un grand entrepreneur nommé Alphonse Desjardins, qu'appuyait son épouse Dorimène.

Je suis pianiste et comptable. J'ai fait mes gammes, du solfège, de la dictée. J'ai été membre d'orchestre de chambre et soliste. J'ai été vérificatrice, professeure, fiscaliste, gestionnaire, conférencière. Et je suis devenue chef d'orchestre.

Au fond, je continue de faire ce que j'ai toujours fait. Comprendre des données et communiquer des messages et des émotions : heureuses, tristes, dures, bouleversantes, signifiantes, évocatrices, transformatrices, stimulantes, provocantes. Travailler avec les gens qui m'entourent dans la passion et l'enthousiasme.

Et me voici maintenant à écrire ce livre. C'est un geste un peu prétentieux que celui de raconter sa vie, mais on m'a convaincue que je ferais œuvre utile. Que ce livre pouvait être un acte de transmission, d'émulation et d'éducation, au sens premier du terme.

J'ai accepté ce nouveau défi et choisi de verser mes droits d'auteur à la Fondation Desjardins pour qu'ils servent à la relève. Car c'est aux jeunes que j'ai d'abord pensé en travaillant à cet ouvrage. Si je peux en aider quelques-uns, si mon cheminement peut éveiller leur goût de s'engager, mes efforts n'auront pas été vains.

Ce livre n'est pas la marque d'une fin de parcours. Il se veut le témoignage d'une personne choyée par la vie et qui souhaite en partager certaines étapes.

J'ai mes passions et mes deux amours, Marc et Anne-Sophie, autour de moi. Il n'y a pas de meilleur moment pour vous raconter ce que j'ai fait et qui je suis.

Voici les mouvements de ma vie.

Prélude

Quelque part en Australie, un soir de mars 2016.

Je suis très loin de chez moi pour présider ma première rencontre formelle du conseil d'administration de l'Alliance coopérative internationale, que j'ai préparée durant le long voyage entre Montréal et Sydney.

Dans ma chambre d'hôtel, j'en suis maintenant à travailler le discours que je prononcerai devant l'assemblée générale annuelle de notre Mouvement, les 8 et 9 avril prochains. Il s'agira de ma dernière allocution à titre de présidente. Je ferai un bilan de mon mandat et regarderai vers l'avenir. Je féliciterai la personne qui prendra la relève et remercierai tous ceux et celles avec qui j'ai eu le privilège de travailler.

Je suis fébrile. Mais ce moment d'émotion n'aura lieu que dans un mois. Quelle est donc cette nervosité ? Pas celle de prononcer un discours. J'en ai fait des centaines. Pas non plus celle de céder ma place. Je suis parfaitement à l'aise avec cette passation des pouvoirs propre à notre organisation, qui prévoit entre autres que la présidence ne peut être assumée par la même personne pendant plus de deux mandats de quatre ans.

Non. Si j'anticipe autant et plus qu'à mon habitude, c'est que je ressens une émotion nouvelle. Est-ce que, ce jour-là, je perdrai quelque chose ? Ai-je peur de la suite ?

Est-ce que je crains de ne plus jamais connaître d'aventures aussi stimulantes que celle que j'ai vécue jusqu'à maintenant?

Je me souviens du 15 mars 2008. Cette moiteur dans les mains, cette gorge sèche, le poids sur le point de tomber sur mes épaules, l'inspiration au moment de me lancer dans un exigeant marathon.

Je me souviens d'avoir été nerveuse — un peu comme ce soir — dans ma chambre du Château Frontenac, puis davantage à l'hôtel Le Concorde, dans l'attente des résultats des six tours de vote qui ont mené à mon élection. Nerveuse, mais concentrée. Heureuse aussi. Car j'avais choisi de m'engager. J'y prenais plaisir intensément, complètement.

J'ai aimé chaque instant à la présidence de Desjardins, comme j'ai aimé chacune de mes expériences professionnelles, échelonnées sur près de 40 ans. J'ai été comblée. J'ai travaillé avec des gens formidables et, surtout, j'ai appris, tous les jours.

J'ai fait ce que j'avais à faire du mieux que j'ai pu, en écoutant, en faisant confiance. D'autres après moi feront à leur tour face à des enjeux de taille. Ils ne réussiront pas tout, comme je n'ai pas tout réussi, mais ils viseront le plus grand succès possible, j'en suis certaine.

Quand j'y pense, quel parcours ce fut!

«Allez, Monique. La vie continue. Tu dois te mettre au travail. À ton discours, à tes notes. Les délégués et invités qui y seront s'y attendent et le méritent.»

Allegro

$\Big\{$ Exprime le sentiment de gaieté,
bien plus que la vitesse d'exécution

Jouer, jouer et encore jouer

Je suis née le 11 août 1954 à Montréal, dans le quartier ouvrier d'Hochelaga-Maisonneuve, que les gens «branchés» appellent maintenant HoMa. Plus précisément à l'Hôpital général de la Miséricorde sur la rue Poupart. J'ai été baptisée à la magnifique église Saint-Vincent-de-Paul, rue Sainte-Catherine Est.

Mais, pour moi, la vie commence à Boucherville. C'est là que mes parents, André Forget et Jeannine Trudeau, mariés en 1948, s'installent en 1956. J'ai alors deux ans.

La raison de ce déménagement est fort simple. Mon grand-père, Louis Philippe Trudeau, a convaincu tous ses enfants — ma mère, ses trois sœurs et son frère — de partir avec lui, de traverser le fleuve Saint-Laurent pour s'installer sur la Rive-Sud, là où il fait bon vivre près de l'eau. Papa a volontiers accepté de se joindre à ce projet et de faire partie du retour aux sources proposé par son beau-père. Direction Boucherville !

Mon grand-père maternel était un homme assez exceptionnel. Sa famille ainsi que celle de sa femme, ma grand-mère Gabrielle Savaria, étaient originaires de Boucherville, de Varennes et de Sainte-Julie. Technicien en ingénierie pour le Canadien Pacifique, il a été amené à se déplacer vers la grande île. Un peu au nord d'Hochelaga-Maisonneuve se trouvait en effet, jusqu'à la fin des années quarante, la plus importante concentration d'entreprises de chemin de fer du Canada.

Homme à l'énergie éternellement renouvelable, mon grand-père multipliait les projets, ajoutant au dur labeur quotidien. Sa principale mission était de s'occuper de sa marmaille. Et, pour cela, il lui fallait un espace plus propice que le quartier industriel dans lequel il avait vécu tant d'années. C'est ainsi qu'il s'organisa pour... nous organiser !

Boucherville est un ancien domaine seigneurial demeuré agricole jusque dans les années cinquante. Ce petit paradis au bord du fleuve, avec ses îles invitantes à portée de chaloupe, devint un fabuleux terrain de jeu pour moi et pour tout mon clan, composé de Trudeau et de Savaria. Pour sa part, la famille Forget (ma famille paternelle) est restée à Montréal, mais venait souvent nous visiter à Boucherville.

Nous sommes arrivés à Boucherville alors que la construction domiciliaire connaissait un essor prodigieux. De 3 000 habitants en 1951, la ville passa à plus de 8 000 habitants en moins de 10 ans. Le pont-tunnel Louis-Hippolyte-La Fontaine et la route Transcanadienne contribueraient au peuplement de la ville qui, aujourd'hui, compte un peu plus de 41 000 habitants.

Nous étions alors à l'ère de Duplessis, de la télévision naissante et des processions de la Fête-Dieu. Mais le Québec grondait et s'agitait.

Or, à la fin des années cinquante, ce contexte n'avait aucune emprise sur moi. Je vivais une enfance insouciante et pleine de joie, à deux pas du Vieux-Boucherville et de son cachet d'antan. L'ancien village, avec ses rues étroites, ses maisons ancestrales et son église classée monument historique, constitue l'un des joyaux du patrimoine architectural québécois.

J'ai grandi dans un petit bungalow tout neuf acheté par mes parents. Situé sur la rue Jacques-Racicot, il était à distance de marche de tout : le vieux village, la bibliothèque, le service des loisirs, l'école. J'y étais entourée de cousins et de ma cousine, de mon oncle Marcel, de mes tantes Jacqueline, Pierrette et Gisèle et, bien sûr, de mes grands-parents. C'était sans compter les amis ; les Brunelle, les Turcotte, les Limoges, les Phaneuf, les Brouillette, les Lévesque, les St-Cerny et bien d'autres ! La vie battait au rythme des saisons, des anniversaires et des fêtes. J'en garde un souvenir merveilleux.

Les dimanches, tout le monde se réunissait chez ma tante Jacqueline, qui avait sept enfants — dont ma cousine Danielle, de qui j'étais très proche. Ah, la famille Bélanger ! Mon oncle Gérald préparait des patates frites qu'il devait peler et couper tout l'après-midi et, le soir venu, il cuisinait des omelettes pour tout le monde. Que de plaisir et d'action autour de la table avec mes cousins Claude, Pierre et Jean ! Danielle et moi, en comparaison, nous nous trouvions bien raisonnables.

Tous les enfants se retrouvaient hiver comme été autour de mon grand-père Philippe, qui travaillait la nuit afin d'avoir plus de temps avec nous le jour. L'été, c'étaient les promenades en chaloupe sur le fleuve. On allait aux îles où poussait le maïs des Hollandais et où on pouvait se baigner. Quelquefois on se rendait en bateau jusqu'à Varennes. C'était loin! Grand-papa nous laissait faire à peu près tout ce que l'on voulait, à une seule condition: ne rien dire à grand-maman. Moi, je n'étais pas tant téméraire, mais je participais joyeusement à tous les jeux et pirouettes que nous pouvions inventer. Mon cousin Michel, fils de Marcel, se joignait souvent à nous. L'espace nous appartenait. Tout nous semblait possible.

De retour sur terre, mon grand-père allait jusqu'à nous faire fouiller les poubelles. «Il y a plein de bonnes choses là-dedans, disait-il. Allons en trouver! On va mettre ça dans le garage.» C'était bien avant l'arrivée du recyclage organisé!

En hiver, exit la chaloupe, c'était la patinoire, les glissades et les forts de neige. Mon grand-père était un animateur de premier ordre. Jamais il n'élevait le ton. Il était drôle et inventait des histoires qui ne tenaient pas debout et auxquelles nous croyions dur comme fer. C'était aussi un «patenteux», un fin réparateur de n'importe quoi, et un mathématicien impressionnant. Ma mère et lui étaient incollables dans les problèmes de maths!

Mon grand-père Philippe était un bel homme aux yeux bleu vif. Il avait toutefois la mauvaise habitude de ne jamais s'habiller comme il le fallait et de ne pas y prêter attention, sauf quand ma grand-mère, soignée et coquette, l'exigeait : le dimanche pour aller à la messe. Alors là, on ne le reconnaissait pas !

Tous les enfants l'admiraient. C'est lui qui m'a appris à conduire ma bicyclette CCM. Cela ne semblait pas déranger mon père outre mesure, lui qui aurait pu le jalouser tellement il était présent dans ma vie. En fait, mon grand-père était proche de tous les enfants du voisinage. Il avait ce qu'on peut appeler un don. Mon père et lui étaient très différents, mais s'appréciaient et se respectaient énormément. Ils s'entendaient à merveille.

Papa, le benjamin de sa fratrie, vivait assez bien le fait d'être entouré de sa belle-famille au quotidien. Mais il était en retrait de l'action suscitée par grand-papa, entre autres parce qu'il n'était pas particulièrement habile de ses mains. Et son travail de comptable l'accaparait. Après des études commerciales, il était entré au service de Geoffrion, Robert & Gélinas dans le quartier des affaires de Montréal, sur la rue Saint-Jacques. Contrairement aux Trudeau-Savaria, il était issu de familles de la région de Joliette, les Forget (Albert) et les Joly (Angélina), portées vers la musique et les choses intellectuelles.

Je n'ai pas beaucoup connu mes grands-parents pater-
nels, car ils sont décédés alors que j'étais très jeune.
Mes tantes, oncles, cousins et cousines Forget étaient,
cela dit, présents à leur manière. Comme dans bien des
familles québécoises, il y avait des religieuses du côté
des Forget : Marie-Octavienne, Octavie, Alexis de Rome
et Hermès, sœurs de la Providence très engagées dans
les jardins d'enfance et les hôpitaux. Avec leurs tenues,
elles ajoutaient un peu de décorum à nos réunions ! Je
garde de très beaux souvenirs de moments passés avec
mes cousins Pierre-Léonard et Luc Forget. Nous avions
le même âge.

Dans la famille de mon père, on avait l'habitude d'écouter les concerts du Metropolitan Opera le samedi à la
radio. Cette tradition, mon père l'a poursuivie chez
nous. Il adorait la musique. Papa avait d'ailleurs appris
le piano. C'est ainsi que la musique, dont les opéras du
« Met », a très vite fait partie de ma vie.

Je me rappelle avoir fêté ma première communion dans
les deux familles séparément ; avec ma cousine Danielle
chez mon grand-père Philippe et ma grand-mère
Gabrielle, et avec mes cousins Pierre et Luc au restaurant
Hélène-de-Champlain, où toute la famille Forget s'était
réunie. Bien sûr, mon père avait pris de nombreux films
et photos, que nous avons conservés précieusement.

Maman avait hérité du dynamisme et du sens de la repartie de son père. Ils étaient d'ailleurs très proches, peut-être parce que ma mère était l'aînée de la famille. Extravertie, elle n'avait pas la langue dans sa poche! Elle tenait maison, faisait la cuisine et la couture de façon merveilleuse, et elle l'a fait pendant plus de 50 ans. Elle m'habillait toujours de façon originale, y compris pour aller patiner! Joueuse de cartes redoutable grâce à sa mémoire prodigieuse, elle était (et elle est toujours) une très belle femme. Mon grand-père avait d'ailleurs dû tenir plusieurs courtisans à distance durant sa jeunesse. Elle avait rencontré papa dans une réunion de scouts et de guides d'Hochelaga-Maisonneuve; il s'était tranquillement approché de la famille, avait amadoué mon grand-père, qui avait finalement consenti à lui laisser sa grande fille.

Maman, c'était de l'énergie en bouteille! Elle s'organisait toujours pour que nous soyons des cartes de mode, elle et moi, réussissant ce tour de force sans que nous soyons riches pour autant. Un petit bijou bien choisi, des vêtements impeccables (elle avait une facilité déconcertante à recycler des tissus), une nouvelle coiffure, et le tour était joué! Elle avait de l'élégance. C'était aussi une championne du *home staging*. Papa avait un grand intérêt pour la peinture et achetait régulièrement des tableaux, souvent abstraits, d'artistes parfois inconnus; il était guidé par un très bon instinct. Le problème? Lorsqu'un tableau entrait dans la maison, tous les meubles et les bibelots bougeaient! Il fallait mettre l'œuvre en évidence, au salon ou dans la salle à manger. Certains jours, mon père en avait marre de réparer des trous dans les murs et aurait souhaité que les choses restent en place un peu plus longtemps !

À six ans, j'ai pris la direction de l'école Louis-Hippolyte-Lafontaine, un très bon établissement public. Maman était là pour me conduire à mon premier rendez-vous avec ma maîtresse et mes camarades de classe — j'en connaissais déjà plusieurs. Je portais la tunique marine et la blouse blanche. Commencèrent des études qui m'ont toujours passionnée, mais aussi des cours de diction, d'art oratoire, de chant choral et de piano, auxquels tenaient particulièrement mes parents.

Pendant huit ans, jusqu'à la naissance de mon frère Martin, j'ai été enfant unique. J'imagine que mes parents caressaient de nombreux rêves pour leur fille et qu'ils s'employaient à les réaliser. Ils souhaitaient me donner les meilleurs outils pour affronter la vie. De mon côté, j'étais en quête de nouveaux défis, de nouvelles expériences, de projets. C'est là un de mes principaux traits de caractère, qui s'est d'ailleurs exprimé tout au long des mouvements de ma vie : « Maman, j'ai une idée ; papa, je veux faire cela. » C'étaient rarement des occupations physiques ou sportives qui m'intéressaient ; j'étais plutôt dans l'organisation de projets. Mes parents m'initiaient donc aux activités intellectuelles pendant que mon grand-père, lui, continuait d'occuper la partie plus fantaisiste de mon existence.

Une chose m'éloignait toutefois de lui, petit à petit : le piano. J'avais une prédisposition certaine pour cet instrument et, comme je le réalise maintenant, pour l'univers très organisé — voire rigoriste — de la musique classique.

J'ai commencé à apprendre le piano chez madame Saumure, à Boucherville. Je découvrais un monde exigeant mais gratifiant. Tout de suite, j'ai été à l'aise avec les enseignements que l'on me transmettait. Je comprenais l'importance de m'exercer à mon instrument, je n'y voyais aucun ennui. J'aimais apprendre à lire les partitions et à jouer dans toutes les clés, sur tous les rythmes. Le langage musical repose sur un ensemble de règles et de correspondances que j'aimais bien déchiffrer.

Mes parents, qui voyaient que je progressais plus vite que la moyenne, ont choisi d'appuyer un peu plus fort sur « l'accélérateur ». Nous avions un piano à la maison, qu'ils s'étaient offert en cadeau de mariage ; maman décida de l'installer dans ma chambre — elle put ensuite s'amuser à refaire la décoration du salon où il avait séjourné jusqu'alors, puis celle de ma chambre.

Ainsi, je pouvais facilement faire mes gammes et apprendre à lire la musique, au grand dam de mon grand-père, qui trouvait que maman était trop exigeante envers moi et que je m'enfermais dans les exercices. Loin de lui en tenir rigueur, je remercie aujourd'hui ma mère de m'avoir donné une discipline de travail et de m'avoir permis d'exceller à un âge où trop de jeunes sont en quête de sens et de reconnaissance.

Durant cette même période, au tournant des années soixante, ma vie changea, d'abord momentanément, puis durablement.

À sept ans, j'ai contracté une hépatite qui m'a retenue à la maison, au lit la plupart du temps, pendant plusieurs semaines. Je me souviens encore des matins où je ne pouvais me lever, où tout tournait dans ma chambre. Le docteur Tartre venait régulièrement à la maison. J'avais un régime alimentaire très strict. De bons soins ainsi que la bienveillance de mes parents et de tout mon clan m'ont permis de me rétablir et de rattraper en quelques semaines tous les retards que j'avais accumulés, à l'école mais aussi en musique.

Cette maladie d'enfant m'a peut-être marquée plus que d'autres. Déjà, je mordais dans la vie. Et d'être empê-chée de le faire me frustrait au plus haut point. J'étais née pour l'action. J'en eus la confirmation plus tard.

Cet accident de santé n'était rien en comparaison de celui qui allait affliger mon père et toute notre famille à partir de 1962.

Au cours de cette période, papa se mit à perdre l'équi-libre et à avoir des maux de tête importants. À tel point qu'un jour il annonça qu'il n'était plus en mesure de conserver son emploi. Pour d'aucuns, cela aurait pu paraître suspect. Un homme dans la force de l'âge, qui utilise sa tête plus que ses bras et jambes, incapable de travailler? N'oublions pas que ceci remonte à il y a plus d'un demi-siècle!

Pris en charge par des médecins de l'hôpital Notre-Dame, il fut hospitalisé plusieurs semaines, alors que ma mère était sur le point d'accoucher de mon frère Martin. J'entendais la famille évoquer toutes sortes de termes inconnus et autres mots compliqués pour une enfant de mon âge, comme «ponctions lombaires». J'ai vite compris que ce qui affligeait mon père était sérieux.

Puis maman accoucha. À l'hôpital où était mon père! Ce fut une période où je me faisais souvent garder par mes grands-parents. Peu de temps après, nous avons appris que ce dont mon père souffrait semblait être une forme de sclérose en plaques.

Tartarin de Tarascon

Pendant près de deux ans, papa, maman et les médecins ont cherché des solutions à la maladie de mon père. Plus que jamais, l'importance d'être entourée du clan Trudeau a joué un rôle prépondérant dans ma vie: une belle solidarité familiale s'est établie, et maman, en particulier grâce à sa volonté et à son énergie hors du commun, a pu passer à travers cette épreuve sans trop de heurts, devenant malgré elle le soutien de la famille.

Je ne me rappelle pas avoir souffert de la situation. À peine ai-je le souvenir d'une maison quelquefois trop tranquille. Et nous étions à l'avant-garde en matière de récupération : rares étaient les vêtements neufs qui entraient chez nous. Mes parents se trouvaient momentanément désargentés, mais nous n'avons jamais manqué de biens essentiels. Cependant, aucun luxe ou achat accessoire n'était possible. Tout était compté, chaque sou était important. À ma manière, j'aidais ma famille : je jouais de l'orgue à l'église tous les dimanches et lors de mariages et de différentes cérémonies, en échange de petits cachets. D'autres distribuaient les journaux ou étaient assistants du laitier ; moi, je faisais de la musique ! J'avais malgré tout bien de la chance !

Papa prenait du mieux, mais il est devenu clair qu'il ne pourrait plus vivre au rythme imposé par le monde du courtage, et surtout pas dans le centre-ville de Montréal. Homme courageux, il s'est employé à refaire sa vie.

Il lui fallait un univers plus contrôlé, une occupation où il serait son propre patron afin de déterminer lui-même ses horaires et ses charges de travail. L'idée d'un commerce a surgi tout naturellement. Une petite entreprise où maman, moi et, un peu plus tard, mon frère pourrions mettre la main à la pâte et préserver papa de trop grands efforts. Mes parents n'avaient pas de voiture et, en plus, mon père était maintenant interdit de conduite automobile. Tout cela militait pour un commerce à Boucherville, où il pourrait se rendre à pied de la maison.

Le temps de mettre le projet en branle, ma mère s'est trouvé un emploi à temps partiel chez Postes Canada, en plus de voir à la santé de papa, à ses deux enfants, et au bon maintien de la maison. Elle faisait, de surcroît, le trajet de Boucherville vers Montréal en autobus. Ouf!

Ce fut Tartarin Chaussures. Pourquoi des chaussures? Parce que mon père avait travaillé avec son beau-frère Maurice Léonard, le mari de sa sœur Claire, dans un commerce de chaussures très florissant à Montréal. Maurice a pu aider mon père avec son réseau de contacts et son expérience. Pourquoi Tartarin? Parce qu'un beau matin mon frère et moi avons proposé de nommer le commerce d'après un héros d'Alphonse Daudet, celui d'une série de contes que je lisais religieusement: *Les aventures prodigieuses de Tartarin de Tarascon*.

Chez Tartarin Chaussures, j'ai été caissière, responsable des vitrines, vendeuse, manœuvre, enfin, tout ce qu'il est possible de remplir comme fonction dans un petit commerce. J'y ai surtout appris à servir des clients, ce que j'aimais beaucoup: avec ma mère aux commandes, il était impossible qu'un client ressorte du magasin sans un achat ou sans qu'on ait répondu à sa demande! Papa et maman — qui gardait son emploi à temps partiel aux Postes — se répartissaient la majorité des nombreuses heures de travail qu'impose ce type d'activité commerciale. J'ai contribué au projet tant que j'ai pu. Mon jeune frère s'est bien adapté à cette activité familiale. Je crois qu'il a surtout développé sa patience légendaire à cette époque.

La fin de mon enfance et de mon adolescence a été modelée par ce commerce situé dans ce petit centre d'achats de Varennes aujourd'hui disparu, en plus de l'école et des activités parascolaires. Parmi ces autres occupations régnait en maître le piano, que j'aimais. Probablement parce que j'avais une excellente capacité de mémorisation et une certaine discipline, apprendre le piano était pour moi agréable. Est-ce qu'on pouvait appeler ça du talent? Pas encore.

Ma progression musicale rapide fit en sorte que je changeai de professeur. Le suivant fut monsieur David, un enseignant de bonne réputation qui avait le malheur de résider dans le quartier Côte-des-Neiges, à Montréal. Toutes les semaines, maman m'y emmenait en autobus : trois heures de trajet aller-retour pour une heure de leçon. Maman fut mon chaperon. Il n'était pas question que je m'y rende toute seule !

C'était mon aventure hebdomadaire. Je n'avais pas l'occasion d'aller en ville très souvent. Quand notre autobus traversait le pont Jacques-Cartier, j'ouvrais grand les yeux et me régalais de la vue sur l'île Sainte-Hélène, le pont Victoria, les usines et les bateaux au port. Je me souviens d'avoir suivi la construction de l'île Notre-Dame et de La Ronde, en prévision de l'Exposition universelle «Terre des Hommes», si chère au maire Drapeau et qui nous a donné accès à la planète entière.

La musique prenait de plus en plus de place dans ma vie. Je progressais à tel point qu'un jour de mes 10 ans, alors que j'avais de nouveau changé de professeur et que j'étudiais avec madame Arsenault, à Longueuil (c'était plus commode et je pouvais m'y rendre seule), cette dernière a indiqué à mes parents que mon talent méritait d'être considéré. Je réussissais bien aux examens, j'avais fait bonne figure à différents concours, je n'étais pas trop nerveuse lors des récitals. Il y avait peut-être matière à passer aux choses sérieuses. Moi, je ne me sentais pas tant interpellée, mais je me laissais porter sans problème. Je bougeais, j'apprenais, j'avançais; j'aimais cela. Je venais d'entrer au secondaire, à la polyvalente De Mortagne, et je vaquais à mes petites occupations: orgue à l'église, magasin de chaussures, amis quand j'en avais le temps. Tout cela en passant de l'enfance à l'adolescence, avec ce que cela comporte de transformations physiques et émotionnelles.

Un jour, mes parents et moi avons eu une vraie discussion. Madame Arsenault, associée à des professeurs de la Congrégation de Notre-Dame, très portée sur la musique, pouvait me préparer et m'ouvrir certaines portes comme celles du Conservatoire, situé dans ce que l'on appelait à l'époque le Palais du Commerce, au coin des rues Berri et Maisonneuve — là où est aujourd'hui la Grande Bibliothèque. Pour mes parents, il fallait plus que cette possibilité pour effectuer le grand virage. Maman, après avoir vu mon regard scintiller à l'idée de relever un nouveau défi, a proposé que l'on fasse une vérification avant de prendre une décision. Après quelques recherches, elle est entrée en contact avec Jean Leduc, professeur au Conservatoire, et lui a demandé de me rencontrer pour m'évaluer.

Après m'avoir écoutée jouer, il a rendu son jugement: «Votre fille a du potentiel, mais il lui manque des bases. Elle ne pourra pas entrer au Conservatoire comme ça. Si vous voulez, je peux la prendre et la préparer aux examens d'entrée.» C'est ainsi que maman et moi avons recommencé à prendre l'autobus (et ensuite le métro, heureusement) vers le quartier Notre-Dame-de-Grâce, où résidait monsieur Leduc.

Le piano est devenu une chose sérieuse. Très vite, prise entre les études, la musique, le magasin et mes passages à l'église, il ne me restait plus de temps pour les activités que la grande majorité des jeunes font parfois passionnément: traîner, flâner, refaire le monde, dormir. En plus, j'adorais lire et écrire. J'avais d'ailleurs développé une technique pour pratiquer mes gammes et mes arpèges en lisant mes deux ou trois livres hebdomadaires, empruntés à la bibliothèque. Tolstoï, Zola, Victor Hugo… en fa dièse majeur ou en ré mineur, c'était un exercice de double concentration!

Mon enfance si saine et heureuse s'achevait. Quelle belle période ce fut! J'y ai beaucoup repensé tout au long de ma vie. Encore aujourd'hui, je crois que nos sociétés devraient être organisées de telle sorte que les enfants vivent dans des milieux sûrs, stimulants et vivifiants, comme ce fut le cas pour moi. Mon grand-père avait eu une grande idée en nous proposant de nous installer à Boucherville. Nous avions tout à notre portée: des amis, la famille, une bibliothèque, des terrains de jeu, de bonnes écoles et d'excellents professeurs. Nous nous épanouissions dans un monde sans violence, encadré et libre à la fois, dans un univers où la solidarité dépassait les petites disputes et les vicissitudes du quotidien. Il y a des jours où je rêve de recréer des environnements de ce genre. Je sais qu'il en existe encore. Je souhaite qu'ils soient aussi bien que celui de mon enfance.

Au bout d'un an, j'ai passé haut la main les examens d'entrée du Conservatoire. Jean Leduc était un excellent professeur. La routine hebdomadaire des années qui ont suivi était constituée à parts égales des études à la polyvalente de Mortagne à Boucherville et de celles au Conservatoire. Avec de l'organisation et l'aide de mes parents, je suis arrivée assez aisément à bien faire aux deux endroits. J'ai même réussi à ajouter à mon horaire des prestations à titre de pianiste-répétitrice dans les cours de ballet qu'offrait madame Claire Brind'Amour, la sœur d'Yvette, fondatrice du Théâtre du Rideau Vert.

Lorsque je prenais du retard dans mes études secondaires, ma cousine Danielle m'apportait ses notes de
cours et je me rattrapais. Une seule fois, j'ai raté un examen. C'était en éducation physique. Je n'allais pas aux
cours, car j'avais peur de me blesser aux mains. Eh oui !
Je suis assez brave sur le plan des risques intellectuels,
mais beaucoup moins sur le plan physique ! Le câble à
grimper et le cheval d'arçons, ce n'était pas vraiment
pour moi.

J'ai ainsi fait un double parcours, scolaire et musical,
pendant quatre ans. C'était une sorte de spirale qui ressemblait beaucoup aux programmes sport-études que
l'on connaît aujourd'hui. Or, à l'époque, il n'y avait à peu
près pas d'encadrement pour les élèves. On s'organisait
soi-même. Pour mener à bien ce parcours, j'ai demandé
des bourses et j'ai fait des concours de musique : cela me
permettait d'économiser pour mes études futures.

Ma vie au Conservatoire était particulière. Hors de ma
petite vie à Boucherville, je m'ouvrais à tous ces défis intellectuels et artistiques. Je découvrais un univers d'émotion en même temps que l'histoire du monde, puisque
la musique en est le reflet. Il y avait des professeurs
remarquables : monsieur Charbonneau aux percussions,
monsieur Ayoub aux vents et en jazz, monsieur Leduc
au piano, évidemment, madame Désautels à l'histoire de
la musique, monsieur Lecompte à la trompette, les Lagacé

au clavecin et à l'orgue, monsieur Gilles Tremblay à la composition, madame Martin et monsieur Clermont à l'administration. Tous ces gens étaient des bâtisseurs ; ils amenaient le Québec ailleurs. Ils étaient, en quelque sorte, des révolutionnaires tranquilles, partageant les expériences qu'ils avaient vécues partout sur la planète. Leur niveau musical et intellectuel était de très grand calibre.

En 1970, à Baie-Comeau, j'ai remporté le Concours de musique du Canada chez les 15 ans et moins en interprétant le premier mouvement du *Concerto en sol* de Ravel. Louis Lortie, maintenant pianiste de réputation internationale, y était aussi. Il était bien meilleur que moi, mais j'avais une forte détermination. En le voyant jouer, j'ai compris qu'il avait une âme de musicien, le don d'oublier tout ce qui se passait autour de lui et de se laisser pénétrer par ce qu'il interprétait.

J'étais assez performante au moment des concours. Une seule fois, j'ai eu un trou de mémoire lors d'une prestation. Cela m'a rendue si inconfortable que j'en ai presque paniqué. Mais j'ai réussi à retomber « sur mes pattes », ou devrais-je dire « au bon endroit sur mon clavier » ! On m'a indiqué, sans que cela me satisfasse, que ces oublis arrivaient à tout le monde. Moi, je me suis dit qu'on ne m'y reprendrait plus jamais et que cela était dû à un manque de préparation, de travail et de concentration.

Je passais désormais chaque jour de sept à huit heures à mon clavier. J'étais disciplinée, j'avais un certain talent, mais… quelque chose clochait.

Malgré tous les encouragements, au fond de moi-même, je savais que je n'avais pas tout ce qu'il fallait pour être la meilleure. Mais surtout, plus j'avançais, plus je me sentais seule avec le piano.

Puis, au fil des mois, je suis devenue introspective. La fille d'action, la fonceuse, avait commencé à réfléchir et à prendre du recul. Non pas que j'avais des difficultés d'apprentissage, au contraire. J'étais plus studieuse qu'instinctive, plus acharnée que douée ; je progressais. J'aurais certainement pu tirer mon épingle du jeu dans le monde musical, même si je me suis toujours demandé si j'avais un réel talent. Certainement pas celui de Lortie. Certainement pas celui de Martha Argerich ou d'Horowitz, si exceptionnels. Du talent ? Oui, celui d'une bûcheuse intelligente et sensible. Mais plus j'avançais, plus je m'inquiétais de trois choses.

La première : la précarité du monde musical. Ne pas savoir quand on travaillera — voire si cela se produira ! — et courir après les contrats. Être tributaire de choix artistiques subjectifs. Tout ça, ce n'était pas moi. Je ne venais pas d'un milieu suffisamment aisé pour parer à cette insécurité. Mes parents tenaient un magasin de chaussures. Je ne l'oubliais pas. Et puis j'ai toujours été très réaliste et pragmatique à l'égard des enjeux financiers.

La deuxième : j'avais remarqué qu'il fallait parfois un ego assez important pour aspirer aux grands honneurs. Chez certains artistes, de simples détails peuvent se transformer en de gros problèmes. C'est un monde émotionnel qui crée parfois de faux drames. Ça non plus, ce n'était pas moi.

Finalement, la voie dans laquelle je m'engageais en était une de solitude. Les longues heures de pratique journalière, passées en quasi-réclusion, finissaient par me peser. Moi, j'aimais les gens et le plaisir de travailler en équipe.

Je me savais appréciée par mon groupe de copains musiciens. Parmi eux, j'étais la source d'une certaine logique, de pragmatisme et de beaucoup d'organisation. En y repensant, j'aurais pu m'orienter vers la direction d'orchestre, faite de *leadership* et d'écoute. Mais, dans les années soixante-dix, les femmes chefs d'orchestre professionnelles se comptaient sur le bout des doigts, du moins en Amérique du Nord. En rétrospective, je crois que j'aurais beaucoup aimé cette discipline, comme celle de chanteuse d'opéra. Mais la voix n'était pas au rendez-vous.

Alors, entre les prestations dans des mariages, l'accompagnement de répétitions de ballet, les cérémonies religieuses et les études de plus en plus exigeantes, je réfléchissais à tous les investissements que j'étais en train de faire dans cet univers qui n'était peut-être pas le mien. La réponse est venue d'elle-même.

Mes parents étaient déçus. Jean Leduc l'était aussi, lui qui croyait que je pouvais aspirer au meilleur, d'autant plus que je venais de passer avec brio mon diplôme d'études supérieures (DS - 3e cycle) en piano. Ma mère m'avoua, bien longtemps après, qu'elle se doutait que j'en arriverais à cette décision un jour. «Tu aimes trop les gens pour ne faire que du piano», m'a-t-elle dit.

Tout en vivant un certain deuil, j'ai décidé que j'allais tout de même me rendre au bout de mon programme d'études, que je réussirais le concours du Conservatoire, qui était le diplôme final en interprétation à l'époque. Ce concours se faisait généralement en deux ou trois ans. J'ai décidé de le faire en un an. Ensuite, c'en serait terminé.

Ma décision était prise et, comme je le fais toujours au moment des changements, je regardais en avant, ailleurs. Avec enthousiasme et sans regret.

Marc

Par chance, je pouvais compter sur une oreille attentive. J'avais rencontré Marc Leroux. C'était au printemps 1972, à un arrêt d'autobus de Boucherville. Il vivait avec un ami dans un studio, au sous-sol d'un immeuble situé à cinq minutes de chez nous. Après nous être croisés et regardés deux ou trois fois, nous avions engagé la conversation.

J'ai vite appris que la raison de sa présence à Boucherville était sa maîtrise en physique à l'Institut de recherche d'Hydro-Québec (IREQ) de Varennes. De mon côté, je lui ai dit que j'étudiais au Conservatoire à Montréal (qui avait entre-temps déménagé dans l'ancien palais de justice, sur la rue Notre-Dame).

De fil en aiguille, nous sommes devenus amis.

Nous étions tous deux très occupés, mais nous partagions le plaisir de la conversation. Marc était un intellectuel. Les affaires internationales, entre autres, l'intéressaient beaucoup. Nos échanges portaient sur des sujets d'actualité, sur la politique, les arts, la musique, les voyages. Bref, tous les sujets étaient prétextes à de belles conversations. Trois ans plus âgé que moi, il avait fait une partie de ses études au Collège militaire royal de Saint-Jean et à McGill. Il avait déjà beaucoup voyagé et se passionnait pour tout ce qui grouillait dans le monde.

Nous nous sommes mis à nous fréquenter, simplement, avec bonheur, les soirs de fin de semaine ou les dimanches après-midi. C'est à peu près tout le temps que nous avions l'un pour l'autre. Nous avions des projets : voir ceci, découvrir cela. C'était l'entente parfaite ! J'ai fini par l'inviter à la maison. Il y est venu de plus en plus souvent, et nous nous adonnions à notre activité préférée, jaser. Je me souviens qu'à notre première Halloween, il a apporté une citrouille à ma mère. Elle l'a trouvé très poli et attentionné.

Quand il a acquis la superbe Renault 8 de sa mère, nous avons commencé à nous promener un peu plus. Nous allions visiter ses parents, qui habitaient Ottawa, allions à des spectacles de chansonniers. C'était la grande époque des Renée Claude, Vigneault, Louise Forestier, Ferland, Charlebois et combien d'autres ! Il nous est aussi arrivé de faire les galeries d'art avec mon père, qui était toujours à la recherche de nouveaux tableaux.

Ainsi, Marc était entré dans ma vie. Il a donc participé, en quelque sorte, à ma décision de mettre fin à mes études en piano. Il ne m'a pas dit quoi faire, mais il m'a écoutée, plus que d'autres. Il n'aurait eu aucune objection à ce que je poursuive dans cette voie, mais il comprenait mes appréhensions.

C'est avec lui que j'ai fait le cheminement qui allait me mener vers le secteur des affaires et de la comptabilité. Je cherchais à me réorienter dans un domaine qui correspondrait davantage à mon tempérament rationnel et à ma recherche d'équilibre, tout en me permettant de travailler avec les gens. En même temps, je voulais que le secteur choisi offre des possibilités de dépassement de soi, il me fallait des horizons ouverts! Je ne sais pas si le fait que mon père ait été dans le monde de la finance et qu'il administrait toujours son commerce a été un facteur, mais je me suis mise à évoquer l'idée de faire des études dans ce domaine. Quoi exactement? Je ne le savais pas. Cet univers m'attirait. Allais-je être entrepreneure, comptable, financière, actuaire, spécialiste en marketing ou en placement?

J'ai vite compris qu'il y avait des difficultés au fait de bifurquer de la sorte. Rien, dans les études que j'avais réalisées jusqu'ici, ne me fournissait les acquis préalables à de tels choix.

Je devais faire un lien entre l'enseignement artistique que j'avais reçu et la voie que je m'apprêtais à emprunter. J'ai étudié les programmes de diverses universités et calculé le temps nécessaire pour obtenir un diplôme qui me procurerait un travail. Dans tous les cas, je ne pouvais être acceptée directement à un programme d'études en finances ou en administration. Partout, il y avait un large fossé à combler. À McGill, on me proposait de passer par un doctorat à la faculté de musique pour aboutir dans le domaine que j'aurais choisi. Ils estimaient que cela me prendrait au moins six ans! C'était la même chose à Laval et à Montréal : toujours des passerelles, pour arriver à ce que je voulais au terme de sept ou huit ans. Cela me semblait bien compliqué. Et je ne songeais pas à l'Université du Québec à Montréal car, à l'époque, elle était en grève tous les trois mois.

J'étais un peu découragée. Un soir, Marc m'a dit qu'il devait se rendre à Chicoutimi, car il y avait chez Alcan une possibilité d'emploi pour lui au terme de sa maîtrise. Son mémoire portait sur les métaux réfractaires, et la compagnie possédait alors un centre de recherche appliquée très reconnu dans le monde : ce travail lui permettrait d'approfondir ses connaissances tout en gagnant sa vie.

Le lendemain, j'ai appelé l'Université du Québec à Chicoutimi pour m'enquérir des différents programmes qui y étaient offerts en administration, peut-être un peu en pensant à mon père, ou guidée par une forme d'instinct pragmatique. J'ai découvert qu'il y avait là une bonne option en comptabilité. De plus, cela pouvait me mener vers une reconnaissance professionnelle comme comptable agréée. J'ai donc demandé à rencontrer le responsable des programmes en administration, Paul Prévost.

Marc et moi sommes partis en amoureux idéalistes vers notre vie nouvelle. Son rendez-vous avec les gens d'Alcan fut fertile : ça cliquait. Il avait trouvé un emploi dans son domaine, avec des collègues de très haut niveau en physique, en chimie et en génie! Moi, j'ai fait la connaissance de monsieur Prévost, qui, rapidement, a jugé de ma personne et de ma motivation: «Ton profil est atypique et incomplet sur certains points, mais ça va aller si tu t'inscris d'abord à deux cours de mathématiques de niveau collégial, où tu devras avoir des résultats d'au moins 85 %. Si tu y arrives, tu pourras faire le programme de comptabilité, j'en suis convaincu.» Le défi était lancé, et je l'ai accepté sur-le-champ.

J'étais motivée et si fière de cette porte ouverte, un geste de confiance que je n'ai jamais oublié. Merci à Paul Prévost et à l'UQAC de m'avoir donné ma chance. Je suis donc rentrée à Montréal et j'ai annoncé à mes parents que je partais étudier à Chicoutimi, comme si je leur annonçais que j'allais au coin de la rue chercher du lait. Marc et moi étions d'une belle insouciance, mais, surtout, nous avions confiance en l'avenir.

En septembre, il m'a devancée pour débuter au centre de recherche d'Alcan et nous a trouvé un appartement à 124 $ par mois, dans des logements sociaux. Nous avons déménagé quelques meubles, appareils électroménagers et casseroles qui dormaient au sous-sol chez mes parents; Marc a remis un vieux poêle en fonction, et nous nous sommes installés à Chicoutimi-Nord.

Mon cas était plus compliqué que celui de Marc. Je n'avais pas encore fini mon parcours au Conservatoire et je tenais à me rendre au concours. Je me divisais donc entre Chicoutimi, pour y faire mes cours préparatoires, et Montréal, pour terminer mes études musicales. Je faisais ce trajet en autobus. J'y étais habituée, c'était le moyen de transport familial. La route était un peu longue, mais cela me permettait d'étudier et de lire. Parfois, je m'arrêtais à Québec pour voir Louis Duchesne, le cousin de Marc.

Problème : pour réussir, il me fallait un piano à Chicoutimi aussi. Qu'à cela ne tienne, Marc emprunta l'argent nécessaire à la Caisse populaire de Boucherville ; moi, j'utilisai mes bourses. Nous avons acheté un piano à queue qui meublait notre joli petit appartement en rangée au Saguenay. C'était parfait ! Avec le petit divan bleu de Marc, il prenait toute la place au salon. Nous n'avions plus besoin d'y installer autre chose !

C'est à ce moment que mes parents ont réalisé que Marc et moi, c'était du sérieux. « Si Marc est prêt à acheter un piano à ma fille, c'est qu'il a de bonnes intentions », s'est dit mon père.

Nous avons commencé à parler mariage. Marc n'était pas très religieux. Moi, il m'apparaissait important de me marier à l'église Sainte-Famille, car elle avait toujours fait partie de ma vie. Or, un autre problème se profilait : les règles de l'époque rendaient obligatoires les cours de préparation au mariage. Marc répétait : « Je ne suis quand même pas pour descendre de Chicoutimi deux fois par semaine pour ça ! » Nous avons cherché une solution, et nous avons rencontré l'abbé Trudeau, qui a accepté de nous offrir un cours en accéléré. Pour nous vendre, je lui ai dit qu'on apprenait vite !

Nous nous sommes mariés le 21 décembre 1974. Monique Forget devint Monique Forget Leroux.

Ce fut un mariage tout en simplicité. Ma mère, comme à l'accoutumée, a vu à mes vêtements. J'ai choisi une jupe et un boléro en velours bleu royal pour des raisons pratiques, me disant que je pourrais les porter de nouveau dans d'autres circonstances. Malgré ses occupations — elle travaillait toujours aux Postes et au commerce —, ma mère a confectionné mon ensemble de mariée, que j'ai porté avec une blouse blanche. Quant à Marc, il s'est fait faire à Chicoutimi un beau complet en laine gris foncé, qu'il a porté souvent et longtemps par la suite.

Les années qui suivirent furent passionnantes. À Chicoutimi, nous avons connu des gens formidables. Je me souviens particulièrement des Desbiens, Potvin, St-Gelais et Tremblay (évidemment !). Pour Marc, les Doucet, Forté, Vaillancourt, Duff et Dubé furent significatifs. Notre adaptation à une vie plus simple, sans les artifices de la grande ville, se fit tout naturellement. J'aimais l'humanisme des gens du Saguenay, leur fierté et leur connexion avec l'essentiel.

J'ai réussi mes examens finaux en musique et les cours préparatoires au cégep de Chicoutimi. Je partais de loin ! Je n'avais même pas fait un secondaire normal, étant donné mes études de piano. Marc m'a aidée. Ensuite, j'ai entrepris le cours de comptabilité. Je me suis impliquée : j'ai été élue présidente de l'Association des étudiants en sciences économiques et comptables, qui organisait des stages à travers le monde. Comme j'avais un peu de temps libre et que le hasard fait bien les choses, je me suis mise à enseigner à l'École préparatoire de musique au Conservatoire de Chicoutimi, une antenne régionale du Conservatoire de musique de Montréal. Je continuais donc à faire de la musique et je gagnais de l'argent pour contribuer au patrimoine familial.

J'avais une énergie sans fin. Tenais-je cela de ma mère, ou encore de mon grand-père Trudeau, qui avait toujours des projets en cours ? Ce cher grand-père est décédé durant cette période, dans le temps des fêtes, à la suite des complications d'un accident survenu dans sa maison. Cela a été pour nous tous un événement tragique. Soudainement, il n'était plus là pour nous aider. Une grande cérémonie eut lieu à l'église Sainte-Famille. Il y avait tellement de monde, l'église était pleine à craquer ! Sa famille, les parents et les enfants qu'il avait aidés : tous voulaient lui rendre un dernier hommage. Ma grand-mère Gabrielle n'a pas survécu longuement à son chagrin. Pour nous tous, une page importante de notre histoire familiale venait d'être tournée.

De retour à Chicoutimi après ces fêtes agitées et tragiques, Marc et moi avons repris nos activités. Le soir, je me couchais fatiguée, oui, mais satisfaite du travail accompli. Les problèmes de sommeil, je ne connaissais pas ça ! Mes prédispositions à l'action ne m'ont toutefois pas préservée des difficultés inhérentes aux études de comptabilité, moi qui n'avais que peu de bases en ce domaine, malgré le rattrapage que monsieur Prévost m'avait imposé. Dès mon premier cours sur le débit et le crédit, j'ai été confrontée au fait que je ne possédais aucune notion sur le sujet. Je ne comprenais absolument rien ! Ce cadre théorique allait à l'envers de mon compte de caisse ! Il m'a fallu du temps pour saisir que, lorsque je dépose un montant à la caisse, celui-ci devient un passif pour l'institution. Bref, pour arriver à m'adapter à mon nouvel environnement, j'ai dû demander l'aide de collègues étudiants, Claude St-Gelais et Serge Potvin. Quelle patience ils ont eue avec moi ! Peu à peu, j'ai commencé à progresser.

Au bout de deux ans, Marc et moi avons acheté une maison à Arvida. Nous l'avons complètement rénovée. Puis Marc a trouvé un emploi qui l'intéressait à Montréal. Nous avons vendu la maison et réinvesti le petit profit engendré pour acheter une autre maison. Je me suis alors installée chez des amis, les Forté, le temps de finir mes études à Chicoutimi.

C'est fou comme tout se fait simplement quand on a 20 ans ! Du jour au lendemain, nous déménagions dans notre nouvelle maison, à Boucherville.

Une fois mes études terminées, je suis donc revenue près des miens. À moi le monde du travail! Pendant ma troisième année de baccalauréat, j'avais reçu une douzaine d'offres parvenant de différents cabinets et entreprises de Chicoutimi, de Québec et de Montréal. Ce n'était pas exceptionnel. La plupart des finissants s'en voyaient proposer le même nombre. De plus, j'avais eu la chance de faire des stages dans le cabinet de Paul-Gaston Tremblay, à Chicoutimi. Monsieur Tremblay était un comptable agréé de grande réputation. Il avait fait de nombreuses contributions à la profession et à l'Université. Je lui ai donc demandé conseil. Et puis j'avais été présidente de mon association universitaire et membre étudiant du conseil d'administration de l'Université et je m'étais beaucoup impliquée dans mon milieu de vie. Tout ceci me donnait une petite longueur d'avance et m'ouvrait les portes d'occasions professionnelles stimulantes. Je me sentais prête à entamer une nouvelle étape de ma vie.

Martin et Fédor

Durant toute cette période, mon frère Martin a grandi. Ce fut un grand choc pour lui de perdre son grand-père Philippe et puis sa grand-mère Gabrielle. Il était très proche d'eux, surtout que ma mère travaillait le soir et que mon père était bien occupé avec le commerce. Lorsque j'ai quitté la maison pour aller vivre avec Marc, cela a créé un vide. Mes parents ont donc pensé à un chien, car mon frère les adore, et ceux-ci le lui rendent bien. C'est ainsi que Fédor, un magnifique airedale-terrier, est entré dans la famille.

Quel chien enthousiaste, énergique et fidèle il a été pour Martin et mes parents ! Bien sûr, il a joué quelques tours à ma mère en sautant sur les vêtements suspendus à la corde à linge, ou en mangeant un gâteau qu'elle venait de faire pour un repas en famille. Fédor ajoutait à mon plaisir de retrouver mon frère, avec qui je me suis toujours très bien entendue. Même si nous sommes différents, nous nous rejoignons fondamentalement sur les plans des valeurs et de la famille. Et il a un sens de l'humour tout à fait particulier, qu'il a hérité de notre grand-père Philippe ! De plus, mon frère a toujours été là pour nous aider, malgré ses activités qui l'ont amené à devenir un entrepreneur bien occupé.

Mes parents et Martin ont toujours été importants pour moi, tout comme l'ont été pour Marc ses parents et son frère Jacques. Ce sont souvent les racines familiales qui nous donnent nos ailes.

Moderato cantabile

{ Modéré et agréable (chantant)

Apprendre à s'impliquer

J'ai commencé à analyser les offres qui se présentaient à moi. Des entreprises d'envergure, comme IBM, étaient en plein recrutement, tout comme d'importants cabinets comptables de même que les gouvernements fédéral et provincial. Nous étions à l'ère des grands bureaux canadiens avec affiliations internationales. Ayant l'embarras du choix, j'ai pris le temps qu'il fallait pour bien analyser ce que je voulais. Puis j'ai réalisé que la figure de proue québécoise de la profession comptable était H. Marcel Caron.

Associé principal de la grande firme canadienne Clarkson Gordon, qui, à l'époque, était le bureau emblématique de la profession, il avait été président de l'Ordre des comptables professionnels agréés du Québec, de l'Institut canadien des comptables agréés et de l'Association canadienne d'études fiscales. De plus, il avait fondé l'Opéra du Québec et la Chaire de sciences comptables de HEC Montréal, dont il avait présidé le conseil d'administration, et avait été président de l'Association générale des étudiants de l'Université de Montréal et était *fellow* de l'Ordre des comptables agréés du Québec et de l'Ontario. Ce grand homme aux mille talents faisait honneur aux Québécois, dans un monde où être reconnus en tant que francophones n'était pas acquis.

Ma décision ne fut pas difficile à prendre. Au Conservatoire, j'avais eu la chance de côtoyer les meilleurs et d'apprendre d'eux. Je savais qu'il en serait de même chez Clarkson.

En tant que stagiaire, j'ai débuté dans l'équipe de Marcel Camirand, associé rigoureux et sage, s'il en est, et formé chez les jésuites. Il a vite appris à me connaître. Avec son collègue Jean-Pierre Graveline, il m'appelait parfois « le papillon » parce qu'il trouvait que je déployais bien large mes ailes. Je n'avais pas froid aux yeux. Lui n'avait pas encore l'habitude de diriger des femmes. Alors que je travaillais au cabinet depuis moins qu'un an, j'ai cherché à savoir si les femmes stagiaires étaient rémunérées de manière égale à leurs pairs masculins. J'ai cogné à la porte de monsieur Camirand. Nous avons eu une bonne discussion ; il a consulté ses associés. Il voulait bien faire les choses et devait maintenant tenir compte de l'arrivée des femmes dans la profession, un phénomène encore nouveau. Tout s'est passé dans l'équité et le respect.

En fait, j'étais souvent celle qui agissait comme porte-parole. Je disais à mes collègues : « Je vais aller en parler à l'associé. » Je trouvais toujours une manière polie et respectueuse d'aborder des sujets parfois délicats. Et puis je comptais sur l'appui de Lucie St-Pierre, une pionnière et un modèle de ce que les femmes pouvaient accomplir dans le monde des affaires.

Quel plaisir j'ai eu à travailler et à apprendre avec monsieur Camirand! Rigueur, analyse et transparence. «Cent fois sur le métier remettez votre ouvrage» est une expression qui résume bien sa ténacité à discuter des problèmes pour y trouver des solutions justes. Il m'a beaucoup appris sur l'importance des faits et de la logique, quels que soient les enjeux politiques.

Ce fut une période cruciale de ma vie professionnelle. J'avais le soutien de gens comme Jean-Pierre Graveline, notre associé de référence, un marathonien au sens premier du terme — né en France —, toujours là pour nous aider lorsque nous faisions face à des problèmes complexes. Monsieur Caron était aussi là pour nous tous. J'allais souvent le consulter; nous parlions du travail sous tous ses angles. Il me recevait gentiment dans son bureau; c'était un homme d'action, un grand professionnel à la voix de stentor, et il avait un réseau d'une qualité exceptionnelle.

Un jour, je lui ai dit que je devais commencer à me créer mon propre réseau. Il a souri et m'a écoutée.

J'étais alors dans la jeune vingtaine, et mon projet professionnel était au centre de ma vie. Marc et moi n'avions pas encore décidé du moment où nous aurions des enfants. Nous nous investissions totalement dans le travail.

Les choses se passaient vraiment bien avec mes collègues et les clients, mais je savais que, pour progresser, je devais sortir de ma coquille. Mes compétences et diplômes ne suffiraient pas à me garantir un avenir florissant. Si je me tirais bien d'affaire, certaines lacunes attribuables à mon passé de musicienne resurgissaient parfois.

On m'a alors demandé de me joindre à l'équipe de fiscalité du cabinet comme chef d'équipe, aux côtés d'un jeune associé prometteur, Michel Lanteigne. Je n'étais pas convaincue que je ferais carrière dans ce secteur, mais je savais qu'il me fallait apprendre. Et avec Michel, on ne s'ennuyait pas! J'ai même écrit avec lui un guide sur la planification fiscale.

Je savais également que l'enseignement était valorisé au sein de la profession comptable et du cabinet.

J'ai demandé à monsieur Caron s'il pouvait m'aider à obtenir une charge de cours à HEC. Je voulais parfaire mes connaissances, me bâtir un réseau, mais sans sortir de l'action : l'enseignement me semblait tout désigné. « Je pense que c'est une bonne idée », a-t-il dit en décrochant le téléphone. Il a appelé Yves-Aubert Côté, qui était alors responsable du programme de comptabilité à HEC, et lui a demandé de me rencontrer. C'était aussi simple que ça. La balle était dans mon camp. Je me suis bien préparée, d'autant plus que monsieur Côté avait la réputation d'être un homme exigeant. Et j'ai obtenu une charge de cours.

J'ai donc enseigné la fiscalité le soir. Puis on m'a confié un cours de jour en vérification, Clarkson m'ayant pour l'occasion libérée de mes tâches de vérification comptable les vendredis après-midi. Au fil des ans, alors que j'étais devenue associée, j'ai formé beaucoup de gens au sein même de l'organisation.

J'ai beaucoup aimé enseigner. Cela m'a appris à parler en public, à maîtriser le stress, à répondre à des questions difficiles, et donc à approfondir ma matière. J'aurais voulu avoir encore plus de temps pour les étudiants, avec qui le contact était toujours stimulant. En somme, ce fut un apprentissage extraordinaire. C'est notamment en enseignant que j'ai compris l'importance de freiner mes ardeurs… Moi, je croyais à l'enseignement par l'étude de cas. Et je composais mes cas moi-même. Or, cela me demandait beaucoup de temps, et corriger les exercices, encore plus. Comme l'enseignement était un emploi que j'occupais à temps partiel, en plus de mon travail à temps plein… j'y consacrais une grande partie de mes week-ends ! Éventuellement, il a fallu que je choisisse, et j'ai finalement cessé d'enseigner.

Les années ont passé. Marc et moi avons acquis une nouvelle maison, toujours à Boucherville. J'ai acheté ma première automobile. Les bureaux de Clarkson Gordon se sont déplacés à la Place-Ville-Marie, à quelques pas de l'ancien emplacement.

Arriva ensuite la période des fusions des grands bureaux comptables à travers le monde et la création d'entités internationales ; chez Clarkson, cela nous toucha comme les autres. Le bureau était déjà affilié à Arthur Young & cie, qui, en 1989, s'allia à son tour à Ernst & Whinney, pour fonder Ernst & Young. Nous faisions maintenant partie d'une structure mondiale.

Pour moi, cela comportait des avantages, dont celui de commencer à travailler avec des clients internationaux et de voyager, principalement en France, en Angleterre et aux États-Unis, où nous avions des clients. Je me souviens en particulier d'un mandat que j'ai fait à Paris au cours de cette période. Avec mon confrère Alain Beaudry, j'avais la responsabilité de réaliser la vérification du bureau de Paris, pratique courante entre bureaux associés, prescrite par le contrôle de la qualité. Vous auriez dû voir l'expression de nos amis français quand une femme, jeune, québécoise en plus, et accompagnée de son collègue beauceron, jeune lui aussi, a demandé à mettre le nez dans leurs dossiers !

L'univers de la consultation me satisfaisait beaucoup. Il s'agit d'une magnifique école : on y apprend à respecter les clients. À vivre avec eux, en quelque sorte. On apprend aussi à jauger ses interventions pour qu'elles soient les plus utiles et efficaces possibles. Si on annonce à un client que l'on réalisera le mandat qu'il nous a confié à tel prix et dans tel délai, il faut non seulement livrer la marchandise sans compromis sur la qualité du travail effectué, mais savoir ajouter quelque chose qui fera toute la différence, soit la qualité de la relation avec ce client. Lorsque celle-ci est empreinte de respect et de transparence, elle permet de travailler en toute confiance et elle est la garantie d'une relation à long terme.

Marcel Caron m'a beaucoup inspirée en cette matière. Il avait ce respect fondamental du client, nécessaire pour bâtir une entreprise de services-conseils. Il m'a appris tant de choses! Quand un client appelle, on se libère; quand un client a une question, on trouve la réponse rapidement et directement. Avec lui, il ne fallait pas se laisser guider uniquement par les heures facturables. Négliger la qualité des services rendus était proscrit. Disponibilité, ouverture, accessibilité et rigueur professionnelle étaient ses leitmotivs. Le service au client était sa passion et constituait la base de la culture du cabinet. Cet apprentissage, je ne l'ai jamais oublié. Il m'a beaucoup influencée dans la suite des choses.

Je me souviens d'ailleurs que nous avons eu à nous ajuster lors de la fusion internationale avec Ernst & Young. Il a fallu retrouver l'équilibre entre notre rentabilité et la satisfaction des clients.

Mes collègues relevaient de beaux défis; j'étais entourée de femmes et d'hommes de grande qualité. Plusieurs activités intéressantes ponctuaient mon travail, notamment les programmes de formation, le recrutement, l'organisation de conférences nationales, dont celle où mes collègues et moi avions eu l'idée d'inviter René Lévesque ! Il avait fait un discours magistral dans la langue de Shakespeare. Or, si j'étais heureuse chez Ernst & Young, je cherchais encore une fois comment progresser.

Je suis retournée voir monsieur Caron avec une nouvelle idée en tête. L'enseignement avait été bénéfique pour moi, mais ne m'avait pas encore permis de me créer un solide réseau d'affaires et de contacts. Dans l'univers de la consultation vient un temps où la valeur de quelqu'un est en bonne partie jugée à son réseau et à ses capacités de générer de la clientèle et des mandats. Je l'avais compris. « Monsieur Caron, que pensez-vous de mon idée de m'impliquer dans l'Ordre des comptables professionnels agréés du Québec [qu'il avait déjà présidé] ? » Il m'expliqua combien cela lui avait été profitable et m'encouragea fortement à m'y investir.

J'y suis entrée par la porte du comité des femmes. Et les responsabilités se sont enchaînées.

En 1988, je suis devenue associée du cabinet Clarkson Gordon. À l'époque, il y avait peu de femmes à ce niveau, et, pour moi, cette nomination a été une grande réalisation — surtout pour la « transfuge » pianistique que j'étais ! —, soit celle de rejoindre les Caron, Camirand, Graveline, Limoges, Chamberland, Lanteigne, Brunet et St-Pierre, pour qui j'avais beaucoup d'admiration.

Durant la même période, j'ai participé activement à l'organisation de la grande conférence de l'Institut canadien des comptables agréés (ICCA) qui se tenait à Montréal, à l'hôtel Bonaventure, et dont monsieur Caron était le président. Il m'avait dit que cela ajouterait à mon expérience. Un matin, je me suis donc retrouvée, sans référence aucune, à tenter, entre autres, de me procurer les drapeaux des provinces canadiennes, qui devaient être alignés dans le bon ordre sur l'estrade où mon mentor prendrait la parole, ainsi qu'à courir à gauche et à droite pour régler toutes sortes de problèmes logistiques. C'était la dure école du monde événementiel !

J'ai poursuivi mon implication au sein de l'Ordre des comptables professionnels agréés, notamment en prenant la direction de comités et en acceptant la présidence de son congrès de 1988-1989. J'y ai invité Claude Bébéar à titre de conférencier principal. Il venait de créer le premier groupe français d'assurances, AXA, qu'il dirigeait de façon remarquable. Il a accepté cette invitation, et je lui en serai toujours reconnaissante.

Durant ces années, on travaillait très fort, chez Ernst & Young. J'y suis tour à tour devenue directrice des services pour le secteur financier québécois, puis responsable de la vérification et de la consultation de firmes d'envergure nationale ou internationale. Par la suite, j'ai intégré le comité stratégique de l'organisation pour les grandes sociétés. Finalement, j'ai pris la tête du groupe Vente et Marketing pour l'est du Canada.

C'est durant cette période qu'un fait s'est confirmé: j'avais une capacité de travail et une énergie au-dessus de la moyenne. Rien de ce que je faisais me pesait. J'aimais apprendre et me vouais à ma croissance professionnelle. Bien sûr, j'avais, comme tout le monde, des hauts et des bas, car rien n'est jamais parfait. Que ce soit avec les collègues ou les clients, j'ai dû apprendre à gérer mes émotions et à ne pas faire de chaque événement une affaire personnelle, surtout en cas de critiques. Savoir prendre du recul et réfléchir permet de mieux rebondir.

Chez Ernst & Young, j'ai créé des liens indéfectibles, par exemple avec Michel Lanteigne, Réal Brunet, Hugues Laliberté, Jean-Pierre Desrosiers, Gilles Salvas, Sylvain Vincent, Pierre Alary, Denis Labrèche, Diane Blais et bien d'autres! J'ai aussi, avec l'Ordre, étendu mon réseau avec des collègues d'autres cabinets. Ces relations, essentiellement humaines, me sont toujours précieuses aujourd'hui.

Certes, pour bâtir ce réseau, j'ai mis les efforts requis: des années quatre-vingt jusqu'au milieu des années quatre-vingt-dix, les activités bénévoles ont meublé l'essentiel de mon temps personnel. Marc et moi nous réservions du temps ensemble et avec nos familles, mais nous nous donnions à fond dans le travail, et cela a porté ses fruits. D'ailleurs, mon implication dans l'Ordre des comptables professionnels agréés m'en a beaucoup appris sur qui j'étais vraiment.

Après que j'ai siégé à son conseil d'administration et à son comité exécutif, on m'a suggéré de me présenter à sa présidence… En 1993 et en 1994, j'ai été la première femme à occuper cette fonction en plus de 100 ans d'histoire de l'Ordre. Y accéder fut une grande expérience pour moi, rendue possible grâce à l'appui essentiel de collègues comptables, soit Michel Bélanger et Alain Paris, deux collègues qui m'ont précédée à la présidence de l'Ordre, et Serge Gadbois qui était trésorier de l'Ordre. Je les remercie de leur soutien ; nous avons travaillé ensemble à l'évolution de dossiers très importants pour la profession comptable, comme le programme plus structuré pour les étudiants québécois, et à nos interventions concernant les finances publiques.

Le bilan du citoyen et la présidence de l'Ordre des CPA du Québec

La Commission sur l'avenir politique et constitutionnel du Québec, qu'on a appelée la Commission Bélanger-Campeau, a été constituée par l'Assemblée nationale du Québec à l'initiative du premier ministre Robert Bourassa. Son mandat : étudier et analyser le statut politique et constitutionnel du Québec. Ce forum très équilibré, représentatif de l'ensemble de la société québécoise, était présidé par le banquier Michel Bélanger et l'ex-président de la Caisse de dépôt Jean Campeau. L'Ordre des comptables professionnels agréés avait décidé d'y présenter un mémoire le 1er décembre 1990.

C'est une aventure à laquelle j'ai participé aux côtés du président de l'époque, Jacques Lévesque, et qui m'a permis de me rendre compte de l'importance d'agir au bénéfice du plus grand nombre.

Cette période très forte sur le plan constitutionnel canadien m'interpellait, comme citoyenne et comme professionnelle. Entre autres, je croyais que les Québécois et les Canadiens étaient mal renseignés quant aux finances publiques.

À l'Ordre des comptables professionnels agréés, nous étions bien conscients de la difficulté de s'y retrouver dans l'information morcelée diffusée par les gouvernements. On parlait beaucoup, en ce début des années quatre-vingt-dix, de finances publiques, de dettes, de déficit. Mais plusieurs se sentaient perdus dans ces discussions de chiffres. Nous avons pensé que l'Ordre devait prendre l'initiative de faire parler ces chiffres à une échelle humaine, dans un langage accessible. C'était le type de contribution que nous pouvions apporter au débat. Le projet de déposer un document substantiel qui pourrait aider les citoyens à comprendre des enjeux parfois complexes fut donc mis en branle. Nous avons composé un groupe de travail formé de membres du CA possédant des expertises particulières dans le secteur public, avec la participation, entre autres, de Denis Desautels, de Paul-André Paré, de Guy Breton et de Michel Bélanger, ayant tous occupé de hautes fonctions dans l'appareil gouvernemental et étant tous aptes à éclairer de manière rigoureuse l'état des finances publiques. Dans la bonne humeur, nous avons travaillé à en proposer une nouvelle une image globale, conçue à partir du point de vue du citoyen québécois, à la fois « actionnaire » et « client » des vastes entreprises diversifiées que sont, au fond, les administrations publiques. L'opération a exigé la compilation des données rendues publiques par les divers gouvernements et le redressement de certains chiffres. En nous inspirant de la façon dont les entreprises présentent leurs états financiers, nous avons chiffré les montants que chaque citoyen aurait dû ajouter à son bilan personnel de 1992 si celui-ci avait tenu compte de la situation des finances publiques.

Nous avons évalué à 17 510 $ en moyenne l'actif que détenaient alors les administrations publiques pour chacun des Québécois, dont 10 800 $ en biens durables. Le passif, c'est-à-dire les dettes et les obligations contractées en leur nom, s'élevait à près du double, soit à 32 705 $, dont une dette de 21 090 $. Le déficit cumulé qui en résultait était de 15 195 $.

Ce bilan était éclairant. Il mesurait notamment la part de la dette publique qui était utilisée pour payer des dépenses courantes. Nous avions un sérieux problème ! En 1992, chaque Québécois consacrait en moyenne

200 $ par mois aux seuls intérêts de cette dette, soit 2 365 $ annuellement. Cette dépense constituait l'une des plus importantes de l'administration publique.

Les frais d'intérêt, à eux seuls, coûtaient aux Québécois presque le même montant que l'ensemble des prestations de sécurité du revenu, et ils dépassaient du tiers le coût des programmes de santé et de services sociaux. Nul besoin de dire qu'ils réduisaient considérablement la marge de manœuvre des gouvernements.

Ce diagnostic s'appuyait non seulement sur l'analyse du bilan et de l'état des résultats, mais aussi sur des comparaisons avec les grands pays industrialisés du G7. Tous étaient endettés, et presque tous enregistraient des déficits annuels. Les principaux indicateurs économiques montraient cependant que le Canada se situait en dessous de la moyenne du G7 et que l'écart avec les autres pays se creusait de façon continue.

Ces analyses sont maintenant bien connues ; il y a 25 ans, elles ont frappé assez fort l'opinion publique. Nous avions même été invités par le regroupement européen des CA à faire état de nos travaux. De fait, nous étions parmi les premiers à porter un regard citoyen sur les décennies précédentes en matière de dépenses publiques. Depuis, on a constaté que les gouvernements qui se sont succédés, canadiens et québécois, ont tous, à un moment ou à un autre, essayé de corriger la situation.

Parmi nos propositions de solutions, certaines ont été reprises et demeurent d'actualité :

- Nous souhaitions un engagement de tous les niveaux d'administration publique pour déterminer et appliquer des plans de redressement, particulièrement pour la dette ;

- Nous souhaitions aussi une participation active de la population dans la recherche et l'application de solutions ; nous proposions la création d'un forum non partisan sur les finances publiques ;

- Nous avancions que les processus budgétaires devraient permettre un contrôle des déficits courants et que l'efficacité administrative devrait devenir un mot d'ordre, que la fiscalité gagnerait à être allégée et plus performante, que les programmes et services publics devraient être passés en revue régulièrement, et que les gouvernements devraient s'attaquer à la réduction et la restructuration de la dette.

En tant que spécialiste de l'information financière, l'Ordre des comptables professionnels agréés insistait par ailleurs sur l'importance que toute l'information adéquate soit accessible. Nous suggérions aux gouvernements de fournir à la population, dans des délais raisonnables, des renseignements continus et vulgarisés sur tout ce qui entourait leurs activités et leur impact financier, et d'améliorer leur reddition de comptes afin de mieux refléter les résultats atteints et les perspectives d'avenir.

Ce fut notre contribution un peu idéaliste aux grands débats de l'époque. Plusieurs décideurs politiques ont admis de manière générale qu'un important redressement était nécessaire dans la gestion des finances publiques. Force est de constater que tout cela est encore vrai un quart de siècle plus tard.

En rétrospective, je remarque que notre contribution aux débats sur les finances publiques ainsi que le travail substantiel réalisé sur l'évolution des parcours de formation des étudiants, en vue de leur préparation à l'examen final uniforme, ont marqué mon année à la présidence de l'Ordre. C'est aussi dans ce premier rôle public que j'ai appris à composer avec les médias. Quant à mon objectif d'élargir mon réseau de contacts dans les milieux d'affaires, je pouvais dire « mission accomplie ».

La présidence de l'Ordre m'a fait gagner de l'expérience et m'a donné de la visibilité. J'ai donc eu la possibilité de me joindre à des conseils d'administration d'organismes sans but lucratif et, par la suite, à ceux de sociétés publiques. J'ai particulièrement apprécié mon engagement de plus de 10 ans auprès de la Fondation de l'Institut de cardiologie de Montréal. Ce fut un grand plaisir de travailler avec un conseil diversifié mais essentiellement formé de personnes engagées dans le succès et le développement de la Fondation, au bénéfice de l'Institut.

Une chance royale

En 1995, la vie était belle chez Ernst & Young. Je dirigeais de bonnes équipes de vérification, nous servions des clients que j'avais moi-même gagnés, et je décrochais des mandats stimulants — la partie du travail que je trouvais la plus agréable, palpitante. J'adorais contribuer au développement d'affaires et appuyer les équipes à l'affût de nouvelles occasions, car cela signifiait mettre en œuvre de nouvelles idées et démarrer des projets!

C'est là que j'ai reçu l'appel d'un chasseur de têtes en quête d'un premier vice-président Finances pour le groupe Banque Royale, ce qui représentait une centaine d'employés à Montréal et près de 500 autres à Toronto, à New York et à Londres. La personne choisie devrait faire la navette entre Montréal et Toronto de manière régulière.

On m'a invitée à une entrevue ; j'avais des doutes. J'étais bien où j'étais et je n'avais pas un profil bancaire… Mais pourquoi pas ? Je savais que si j'avançais dans le processus, je pourrais rencontrer les gens de la Banque. De toute façon, nous les avions identifiés comme clients potentiels !

J'ai fait les entrevues, et, un peu comme à mon arrivée chez Clarkson, c'est une rencontre importante qui m'a ébranlée, soit celle d'Émilien Bolduc. Il était alors chef des finances, c'est-à-dire l'une des cinq ou six personnes les plus influentes du groupe financier, et était un homme d'une grande simplicité. Né à Roberval, il a fait ses études à l'Université Laval, grâce à l'aide de la Banque. Jean Turmel, qui a été président de la Financière Banque Nationale, avait étudié avec lui. Très direct, rigoureux et exigeant, Émilien Bolduc avait des idées claires sur un tas de sujets. Nous nous sommes tout de suite bien entendus.

C'est ainsi que j'ai commencé à réfléchir sérieusement à cette proposition qui me mènerait vers le monde de la gestion avec un grand « G ». Diriger près de 500 personnes… c'était là une expérience qui me séduisait et qui m'offrait la possibilité d'apprendre les rouages d'un nouveau milieu, celui de la finance et de la banque, aux côtés de gens compétents.

Bien sûr, il y avait des avantages à rester où j'étais. J'avais acquis un bagage important en matière de services-conseils chez Ernst & Young. Mais à l'approche de la quarantaine vient un moment charnière pour beaucoup de consultants qui, comme conseillers « seniors » ou associés, se disent : « Ferai-je l'ensemble de ma carrière dans ce secteur-ci ? Est-ce que le moment est venu de sauter la clôture ? »

La consultation dans une firme mondiale est formidable à plusieurs égards. On a accès à un réseau international. On reçoit tous les jours de l'information sur les tendances les plus récentes. On travaille avec des professionnels de très haut niveau. C'est un milieu assez entrepreneurial, créatif et performant. Même dans une grande société, les gens sont indépendants de pensée et d'action. Ils gèrent leurs équipes de vérification ou de consultation. Ils sont, en quelque sorte, de petites entreprises réunies sous une grande bannière internationale disposant d'un réseau mondial d'informations par géographie, par secteurs ou par grand thème transversal. C'est très stimulant et exigeant, intellectuellement et professionnellement. De plus, ceux qui s'y trouvent se ressemblent. Ce sont des personnes plutôt compétitives, autonomes, qui ont fait des études poussées et qui prennent de nombreuses responsabilités. Lorsqu'on travaille à un niveau élevé, avec des présidents et des dirigeants, les mandats sont intéressants. Extrêmement intéressants. Bref, il n'y a jamais de routine opérationnelle.

Par ailleurs, en consultation, l'associé se trouve dans un rôle-conseil. On soumet des idées, on propose des stratégies, mais on n'est pas toujours là pour les exécuter et les voir s'accomplir. C'est pourquoi je restais parfois sur mon appétit, me disant que l'exécution des stratégies semblait beaucoup satisfaire les dirigeants d'entreprises que je côtoyais, mais que je n'étais associée qu'indirectement à leur succès.

La Banque Royale m'offrait une responsabilité exécutive : faire arriver les choses. On me chargeait à la fois du développement de la stratégie financière et de son opérationnalisation avec les secteurs d'affaires. Cela dit, dans un univers comme celui-là, il me fallait accepter de travailler avec des équipes beaucoup plus hétérogènes, comprendre rapidement la culture d'entreprise et m'y adapter.

Tout bien pesé, et toujours attirée par cette occasion d'apprendre, j'ai sauté.

Au début, j'accompagnais très souvent Émilien Bolduc à Toronto, où j'observais comment fonctionnait la haute direction. Je ne participais pas activement aux discussions du « Group office », je prenais des notes et j'avais les oreilles bien ouvertes ! J'étais là pour m'imprégner de mon nouveau milieu et comprendre les suivis financiers, que je validais ensuite avec mon mentor. Je comprenais très bien le service que monsieur Bolduc me rendait en me demandant d'assister aux réunions avec lui. Il faut aussi dire que j'en profitais pour perfectionner mon anglais, que j'avais appris «sur le tas» et pratiqué au cours de mes dernières années chez Ernst & Young. J'ai par ailleurs réussi à mieux contrôler ma peur des hauteurs et de l'avion, que je devais prendre très souvent. Je suis même arrivée à m'asseoir près des hublots et à regarder en bas! Mon père en fut fier, lui qui avait le vertige comme moi.

Je faisais partie d'une grande équipe de dirigeants seniors et de premiers vice-présidents d'une trentaine de personnes. Les six premiers mois, je dois l'avouer, j'étais un peu dans le cirage. Ma vie se passait en anglais plus de 75 % du temps. Je parvenais quand même à accomplir mes tâches directes avec succès et à observer comment les choses se déroulaient autour de moi. Toute une adaptation!

Puis j'ai commencé à livrer la marchandise. J'ai appris à structurer des projets complexes. La Royale venait de se doter d'une structure matricielle, par secteurs d'affaires et par zones géographiques. Il fallait complètement redéfinir la façon dont on produisait les informations de gestion, les informations au conseil et les rapports publiés à l'externe. Il fut alors décidé d'introduire la notion d'allocation du capital, impliquant des changements importants dans l'architecture des systèmes financiers de la Banque. C'étaient des dossiers assez techniques, mais extrêmement intéressants. La Royale était parmi les premières institutions au Canada à travailler de cette manière — c'est maintenant une pratique reconnue et encouragée par les autorités réglementaires.

Cela signifiait aussi que je me joignais aux comités internes de gestion de risques et de gestion actif-passif de la Banque. Ce fut un apprentissage technique assez exceptionnel, qui m'a permis de comprendre la complexité des marchés et les activités d'une institution financière importante, ainsi que de m'exercer, en parallèle, à la gestion d'un groupe de professionnels de haut niveau. Un véritable cours en accéléré! Et beaucoup de travail, dans un contexte de changement organisationnel et culturel.

C'était vraiment stimulant de travailler à l'avant-garde. Je n'aurais jamais deviné, à cette époque, que j'aurais à faire face aux mêmes types d'enjeux 10 ans plus tard, chez Desjardins, où je serais constamment confrontée à la gestion du changement.

Après deux ans aux finances, on m'a demandé de réorganiser la structure de la Banque au Québec. Émilien était convaincu de l'importance pour moi de prendre une responsabilité directe dans les opérations. J'ai dû jongler avec des effectifs de 8 000 personnes : un vaste défi opérationnel. J'ai alors compris que les finances, c'est très important, mais que les opérations, c'est essentiel! Je ne connaissais pas bien l'organisation de la Banque au

Québec ; sa culture d'entreprise était très forte. Il fallait que je trouve comment faire accepter des changements et comment proposer une évolution structurelle basée sur le service et la croissance des affaires.

Anne-Sophie

Un événement fondamental de ma vie poignait à l'horizon. Marc et moi avions décidé d'adopter un enfant.

Nous avions vu mon beau-frère Jacques et ma belle-sœur Carmen faire les démarches pour adopter leur petite Catherine, notre filleule, quelques années plus tôt. Leurs péripéties les avaient menés en Chine, et nous avions partagé leur bonheur à la suite de ce grand voyage. Enthousiastes à l'idée de fonder une famille, nous avons considéré à notre tour la possibilité d'adopter un enfant chinois. Après maintes discussions et remises en question, nous avons finalement plongé dans ce nouveau projet.

Le cheminement a été compliqué, retardé par un quiproquo entre le gouvernement du Québec et la Chine. Alors que notre dossier avançait très bien, voilà que tout bloquait ! Nous avons dû nous présenter en cour, fournir notre évaluation psychologique et remplir un nombre incalculable de documents — à traduire en mandarin ! —, soumettre le tout aux autorités diverses… Pendant ce temps, nous n'étions pas différents de tous les couples désirant fonder une famille : nous avions hâte de prendre notre enfant dans nos bras et de ressentir cette joie immense qu'est celle d'être parents. Et que dire de la fébrilité de mes parents et de la mère de Marc !

Nous attendions des développements depuis un an quand nous avons reçu un avis nous annonçant que c'était pour tout de suite. Puis un autre avis pour nous dire que c'était retardé. À cette époque, Marc voyageait beaucoup à l'international, et j'étais submergée par le travail. Comment allions-nous réussir à partir à l'autre bout du monde, le moment enfin arrivé? Chose certaine, il n'était pas question que l'on ne participe pas tous les deux au voyage qui nous mènerait vers notre enfant. Finalement, nous avons usé de bon sens en nous disant: «Quand ça va arriver, on va tout simplement lâcher prise. Et partir. Nos collègues comprendront ça.»

C'est exactement ce qui s'est produit. Au mois de novembre 1996, je m'en souviens très bien, on a reçu un avis assez expéditif: «Voici le dossier, c'est réglé. Votre fille s'appelle Guo Fang.» Nous partions deux semaines plus tard.

J'avoue que, malgré cette annonce et l'imminence du départ, la connexion émotive ne s'est pas faite d'emblée pour moi. Tout était tellement compliqué et procédural. Je ne réalisais pas vraiment qu'Anne-Sophie allait entrer dans nos vies. Dans les deux semaines précédant notre départ, il fallait nous présenter à une rencontre pour préparer le voyage, acheter les billets d'avion, planifier les vêtements à apporter, les couches, la nourriture, le lait en poudre… À la Royale, c'était la fin d'année. Comme à l'habitude, le conseil d'administration se réunissait pour l'approbation des états financiers et rapports annuels. Le travail me sortait par les oreilles. Je me souviens d'avoir rencontré Émilien Bolduc et de lui avoir dit : « Je vais essayer d'en faire le plus que je peux, mais je ne pourrai pas livrer la marchandise. C'est le conseil ou la Chine. » Il m'a répondu : « Tu t'en vas en Chine, c'est sûr. Je vais prendre la relève. » J'ai été entourée de superbe manière par les gens de la Royale, et Marc a reçu le même appui de ses collègues et de Charles Sirois, chez Téléglobe.

Nous sommes partis avec Hugues Laliberté, un ancien compagnon de travail de chez Ernst & Young, et Renée Houle, son épouse, qui sont tous les deux de bons amis. Ils avaient eux aussi décidé d'adopter un enfant, et nous avions convenu de partir ensemble. De fait, nous étions quinze couples à partir au même moment. Nous nous sommes liés d'amitié avec un autre couple de parents adoptifs, Pierre Tremblay et Gisèle Trudeau. Gisèle — je l'ai découvert tout à fait par hasard — était l'une de mes petites-cousines de la famille Trudeau de Saint-Amable ! Tous deux étaient médecins spécialistes à Sainte-Justine. Nul besoin de dire que Pierre et Gisèle ont eu à répondre à bien des questions tout au long du voyage.

L'agence avait réservé les billets les moins chers possibles pour accommoder les parents. Ce fut d'abord Montréal-Chicago. Ensuite Chicago-Tokyo. Puis Tokyo-Shanghai et, enfin, Shanghai-Changsha. Un long périple durant lequel la fébrilité à l'idée de rencontrer nos enfants n'a fait que s'accentuer.

Changsha, dans la province de Hunan où nous avons atterri, est une ville historique, militaire et industrielle qui comptait alors environ six millions d'habitants. Mao en avait fait son château fort au moment de la Révolution. À côté se trouve Zhuzhou, le village où était l'orphelinat. On nous a demandé si nous voulions nous y rendre. Souvent, les couples refusent de voir leur enfant dans ces conditions difficiles et préfèrent rester à l'hôtel, où on leur amène leur enfant. Cette fois, nous avons unanimement décidé d'aller chercher nos enfants là où ils étaient.

Ce fut un moment émouvant, inoubliable. Un jour vous partez vers la Chine. Vous réalisez que ce voyage changera votre vie. Irrémédiablement. Vous comprenez qu'au bout du chemin il y a une enfant qui vous attend. Et puis vous arrivez dans un hôtel chinois mal chauffé, si froid qu'il vous faut garder votre manteau toute la journée. Les émotions deviennent très intenses : plus que quelques heures avant que votre vie bascule, s'ouvre à une tout autre dimension. L'enthousiasme des uns côtoie les inquiétudes des autres. Mille questions vous assaillent. Moi, je n'arrivais pas à trouver le sommeil. Anne-Sophie sera-t-elle malade ? Allons-nous pouvoir la rendre heureuse ? Ces questions, tous se les posent, sans avoir de réponses, évidemment. Sage, Marc disait : « Il faut que l'on dorme. Il faut être reposés pour elle. » Je me rappelle être sortie dans le corridor pour marcher un peu. Qui y ai-je croisé ? Pierre Tremblay, notre médecin « G.O. » qui, lui aussi, peinait à dormir. Nous étions en pyjama sous nos manteaux. « Pierre, je suis préoccupée... Et si les enfants étaient malades, et patati, et patata. » Et lui de me répondre avec la voix de l'expérience, en frissonnant malgré son manteau : « Tu sais, Monique, s'il s'agissait d'un accouchement naturel, tu aurais autant de questionnements et d'incertitudes. On est mieux d'aller se coucher. » Un sage, ce cher Pierre !

Le lendemain, déception. Nous devions encore attendre ! Pour passer le temps, nous avons visité la vieille ville et ses marchés. Des signes indiquaient un peu partout la démolition imminente de vieilles baraques. Au milieu de tout cela, un grand jardin.

Le surlendemain, nous sommes enfin allés à l'orphelinat en petit autobus. Je m'en souviens bien. Deux heures de route dans la pluie et l'humidité, par des rues cahoteuses. Lou Lou, notre guide, était là pour nous encourager. Un bâtiment à la limite de la salubrité nous attendait.

On a enfin amené les enfants. Nous avons procédé à la cérémonie d'adoption, un couple à la fois. Que d'émotions de voir nos collègues et amis recevoir leur enfant ! Puis ce fut à nous. J'ai pris dans mes bras Anne-Sophie, mon enfant de huit mois. J'ai pleuré. Elle pleurait. Tout le monde pleurait, sauf les Chinois, qui étaient quand même un peu émus de nous voir tous pleurer. Mes pleurs étaient à la fois l'expression d'un bonheur pur et la découverte d'émotions qui m'étaient inconnues. J'imagine qu'il en est autrement pour les mères qui portent leurs enfants. Moi, je passais subitement d'une image à un bébé en chair et en os! L'émotion passée, Marc et moi avons signé tous les papiers sur place, devant le notaire, et réglé les autres formalités. En route pour la vie de famille!

Nous avons partagé tant d'anecdotes avec les parents de notre groupe… D'ailleurs, nous avons maintenu pendant plus de 12 ans la tradition de nous rencontrer une fois par année, avec les enfants, pour revivre ensemble ce moment marquant de notre vie.

Anne-Sophie a tout de suite été une enfant agréable. Elle était souriante, enthousiaste et énergique. C'était une fillette joyeuse qui allait volontairement vers les gens. Une seule petite ombre au tableau : pendant toute sa première année avec nous, elle a fait des cauchemars réguliers, généralement entre une et trois heures du matin. Ce fut le début de mon apprentissage en matière de conciliation travail-famille!

Nous avons capté l'arrivée et les premiers mois de notre bébé sur vidéo. Nous avons aussi fait des photos en grande quantité; j'en ai moi-même pris beaucoup, ainsi que Pierre et Hugues, qui sont d'excellents photographes.

Nous avons rempli des albums que nous laissions traîner sur la table du salon et que nos invités parcouraient. Quand Anne-Sophie a eu trois ans, elle a commencé à s'y intéresser. Sans que nous insistions, sans que nous en fassions un drame, elle a su, petit à petit, d'où elle venait. Lorsque nous avons jugé qu'elle était en mesure de bien les comprendre, à ses huit ans, nous lui avons montré les vidéos. Elle les a regardés pendant un week-end en continu ; après, c'était terminé. Ils sont toujours restés à sa disposition.

Nous nous efforcions, Marc et moi, de lui donner un ancrage solide, de nouvelles racines, profondes, et des ailes pour être un jour en mesure de diriger sa vie. Nous y travaillons toujours.

J'étais devenue mère. J'avais découvert qu'au-delà de la régularité des métronomes et des équilibres financiers parfaits se présentent dans nos vies des déterminismes majeurs, qui donnent un sens à nos actions et nous apportent un bonheur renouvelé. Le plus beau, c'était d'être aussi heureuse, d'une manière que je n'avais jamais connue jusque-là.

Andantino

{ Un peu plus rapide qu'*andante* (allant)

Une transition

Mon apprentissage de la conciliation travail-famille se faisait tout en douceur. Mes activités à la Banque se passaient désormais essentiellement au Québec, ce qui me facilitait la tâche.

J'avais du plaisir à travailler avec une superbe équipe, et je faisais mes classes comme « banquière » d'un grand réseau de succursales pour les particuliers, ainsi qu'en financement commercial. La performance était au rendez-vous : les indices de satisfaction étaient à la hausse, tant chez les clients que chez les employés.

À cela s'ajoutait ma joie de redécouvrir le développement des affaires, particulièrement avec de nombreuses entreprises de Québec inc. — encore une fois avec l'appui et l'expérience de ce cher Émilien Bolduc, qui veillait au grain.

Mais, à la Banque, les choses changeaient. Émilien a pris sa retraite. Certaines transformations me sortaient de la relation de confiance qui s'était si bien établie avec lui et avec d'autres, des collègues avec qui j'avais travaillé dans le plaisir. Je voyais aussi poindre une certaine polarisation des activités vers la métropole ontarienne : la dynamique entre Montréal et Toronto changeait. Après avoir eu la responsabilité d'un secteur comme le Québec, je comprenais très bien que, si l'on me confiait de nouvelles responsabilités, ce ne serait pas à Montréal. Mon avenir à la Royale passerait un jour ou l'autre par un déménagement à Toronto. En tant que mère d'une petite fille de trois ans, je ne souhaitais pas ça. Et puis mon cher Marc, qui travaillait avec les équipes de Charles Sirois, continuait de faire le tour de la planète pour des projets de réseaux de télécoms et de satellites! Nous approchions du passage à l'an 2000, et l'effervescence technologique était au rendez-vous dans le vaste monde.

Québecor

Mon arrivée chez Québecor fut le résultat d'un nouveau concours de circonstances. L'entreprise négociait l'achat de Vidéotron et de TVA avec l'aide de la Caisse de dépôt, une transaction qui créait une onde de choc au Québec et dans le Canada anglais, entre autres parce que Québecor damait le pion à Rogers Communications. L'offre d'achat du duo Québecor/Caisse de dépôt totalisait 4,9 milliards de dollars canadiens, dont 3,2 milliards provenaient de la Caisse.

Chez Ernst & Young, j'avais connu les gens de Québecor en réalisant différents mandats de vérification. J'appréciais les personnes qui entouraient l'entreprise : Charles-Albert Poissant, qui avait été président de l'Ordre des comptables professionnels agréés du Québec, ainsi que messieurs Lemay et Neveu, tous deux comptables agréés. J'avais eu l'occasion de rencontrer les deux frères Péladeau, Pierre Karl et Érik. De plus, j'avais eu l'occasion de travailler un peu avec leur père, avec l'Orchestre Métropolitain. Et enfin, la Royale avait financé plusieurs transactions du groupe.

Dans le cadre d'une rencontre que je faisais avec des clients de la Banque, Pierre Karl Péladeau et moi avons parlé de Québecor et de la transaction. Pierre Karl aimait travailler sans contrainte, se souciait peu des structures, et menait les opérations rapidement et directement. Il avait besoin de soutien dans le contexte particulier de la transaction Vidéotron/TVA. Après discussion, nous nous sommes dit que nous pourrions travailler ensemble. Et voilà! Cette transition s'est passée simplement. Bien sûr, je quittais avec regret la Banque, mais j'avais le sentiment de me joindre à une grande entreprise québécoise sur le point de faire un changement crucial pour son évolution.

Les mois qui ont suivi ne furent pas de tout repos. En tant que chef de l'exploitation, j'accompagnais Pierre Karl dans de nombreux dossiers : j'ai mis en place Québecor Média, créé un comité de direction, mais surtout, j'ai géré du personnel et aussi parfois les relations avec les conseils d'administration. J'ai travaillé avec les équipes en charge du dépôt de propositions au CRTC (Conseil de la radiodiffusion et des télécommunications canadiennes), pour TVA et Vidéotron. En somme, j'étais devenue un peu une *Jack of all trades*! Une décision était prise, elle avait telle conséquence, que faisait-on ensuite? Cette effervescence commandait une sérieuse gestion des ressources humaines. C'était une période qui bousculait le *statu quo*, des collaborateurs arrivaient et d'autres partaient… Ainsi, au processus de négociation de la transaction — nécessitant l'approbation du CRTC — et à la mise en place d'un encadrement fiduciaire s'ajoutait une complexité relationnelle. C'était très exigeant. Les heures étaient longues, et les dossiers urgents, toujours plus nombreux. Il y avait aussi une question de style : les décisions se prenaient vite, et tout se vivait dans une sorte de fébrilité ! Cela générait souvent des situations tendues ou totalement loufoques.

Je n'ai jamais eu peur de travailler très fort, de régler des problèmes au travail ou de gérer des crises. Au contraire : les problèmes sont en soi stimulants. Ils créent des occasions de changement, et la démarche qui mène à leur résolution est toujours intéressante. Et, mon passage chez Québecor m'a fait découvrir que j'aimais respecter les gens et travailler dans l'ordre. Je ne suis pas la personne la plus cartésienne, mais je suis organisée. J'aime par-dessus tout avoir le temps de prendre les problèmes dans leur ensemble, de réunir une équipe et de « brainstormer » pour établir un plan de match. Quel est le diagnostic ? On a des choix : quels en sont les avantages et les inconvénients ? Quel est le pire *downside risk* à gérer ? Quels sont la stratégie et les paramètres financiers que l'on veut adopter et quel sera le plan d'action ? Quelles équipes en seront responsables ? Quel est l'échéancier, le plan de suivi ? Et comment allons-nous travailler avec nos gens ?

Pour respecter ces étapes, que je résume à grands traits, il faut quand même disposer d'un peu de temps pour parler aux collaborateurs — un luxe que j'avais rarement chez Québecor. Car dans toute démarche de changement, il y a une composante essentielle : les personnes.

Ce qui est fascinant, avec les changements organisationnels, c'est que l'on peut arriver à un résultat donné en une semaine, ou encore en trois mois ou même en six. En tenant compte du facteur humain, les choses se font parfois plus lentement, selon les circonstances. Mais l'on aura engagé plus de gens dans le processus. Surtout, l'on aura engagé leur tête et leur cœur, en prenant le temps d'expliquer les causes sous-tendant la démarche et d'aller chercher des appuis, le tout en suscitant l'adhésion des employés et partenaires, et en s'assurant qu'ils comprennent où l'on veut aller. Et cela génère une performance solide et durable qui résulte de l'engagement des équipes. Voilà mon approche et mon style ! C'est ce que j'ai cerné et campé définitivement chez Québecor. Ne serait-ce que pour cette raison, mon passage dans cette grande entreprise fut primordial dans ma vie professionnelle. Je me suis dit qu'il est possible de prendre des décisions exigeantes et de le faire dans le respect de ses valeurs et d'autrui et que cela est pour moi fondamental. Il faut savoir faire bouger les flottes sans que les navires s'égarent ou fassent des virages si brusques qu'ils risqueraient de chavirer. Je préfère l'évolution à la révolution.

Aussi, j'ai réalisé que j'aime improviser, à condition d'être extrêmement bien préparée. Chez Québecor, on a réalisé en quelques mois ce que l'on aurait fait ailleurs en quelques années. Cela a été une expérience opérationnelle particulière. J'ai découvert un secteur d'activités que je ne connaissais pas ; j'ai expérimenté la prise de risques et la vitesse d'exécution à un degré que je n'avais pas connu dans de grandes entreprises internationales. Ce fut un enseignement important, et je garde un excellent souvenir de mes collègues Serge Sasseville, Hugues Simard, Julie Tremblay et bien d'autres. Après tout ce que nous avons vécu ensemble, chaque fois que l'on se revoit, c'est comme si on s'était vus la veille ! C'est aussi à cette époque que j'ai eu l'occasion de mieux connaître Pierre Laurin, ancien directeur de HEC, qui était et est toujours membre du conseil d'administration de Québecor. Je l'ai d'ailleurs consulté à plusieurs reprises une fois rendue chez Desjardins.

En somme, Québecor représente pour moi un passage professionnel rempli de surprises stimulantes et d'émotions parfois dures. Gérer une entreprise, ce n'est pas toujours comme voguer sur un fleuve tranquille, il faut le reconnaître. J'y ai appris qu'on ne fait pas d'omelette sans casser des œufs. Mais ce que j'ai aussi découvert et qui, je crois, fait maintenant partie de ma « marque de commerce », c'est qu'une entreprise demeure fondamentalement une organisation humaine et que son succès dépend essentiellement de la qualité et de l'engagement de celles et ceux qui la composent.

Maman, tu t'en vas faire des jardins?

Après plus de 20 ans dans le monde des affaires et de la finance, tant sur le plan professionnel que paraprofessionnel, mon nom circulait dans la communauté d'affaires québécoise — j'avais dû laisser de bonnes impressions là où j'étais passée! Il faut dire que je bénéficiais d'un préjugé favorable. Au début des années 2000, les femmes étaient encore fortement sous-représentées dans les hautes sphères décisionnelles, alors plusieurs organisations étaient à la recherche de femmes afin d'établir ne fût-ce qu'une tentative d'équilibre au sein des directions d'entreprises.

Je recevais régulièrement des propositions indirectes ou des signaux de certains dirigeants qui sondaient le terrain. J'étais, pour ainsi dire, «en demande». Ce n'était pas exceptionnel: tous les gens qui réussissent bien leur parcours passent par une période où ils sont particulièrement «populaires». J'en étais à cette étape de ma vie.

C'est ainsi que j'ai reçu un appel d'un chasseur de têtes qui me connaissait bien: «Écoute, il y a des gens qui voudraient te rencontrer. Tu devrais prendre le temps de les écouter parce qu'ils ont besoin, à ce moment-ci, de quelqu'un qui soit capable de marquer un changement important. Je pense que tu es la personne tout indiquée pour ça.» J'ai donc accepté de les rencontrer. Nous étions au printemps 2001.

Ces gens étaient de chez Desjardins. Alban D'Amours, qui était alors nouveau président du Mouvement, et Rénald Boucher, à l'époque président et chef de l'exploitation de la Confédération, m'ont reçue. Ils étaient à la recherche de quelqu'un qui pourrait dynamiser l'environnement des filiales de Desjardins de façon à optimiser leurs liens avec le réseau et à améliorer la performance et les résultats financiers de la Société financière Desjardins-Laurentienne. En outre, la performance en assurance vie n'était pas au rendez-vous. L'assurance générale se développait, mais le dossier d'intégration de l'acquisition restait à faire en Ontario. Les relations entre les dirigeants des filiales ne facilitaient pas la collaboration. Finalement, les contacts avec les caisses n'étaient pas non plus au mieux. Alban D'Amours s'était donné pour objectif de créer une direction unique chez Desjardins. Il recherchait un candidat connaissant l'assurance et la banque et ayant une expérience canadienne.

Je me souviens de leurs mots : « Vous êtes identifiée comme quelqu'un qui peut gérer la performance et améliorer les relations des filiales avec les caisses. » Ils pensaient que j'étais la bonne personne pour accomplir tous ces défis. J'avais travaillé dans le secteur de l'assurance comme vérificatrice pendant plusieurs années ; je possédais des connaissances techniques ; à la Royale, j'avais eu à travailler à des changements organisationnels, et j'étais au fait du métier bancaire. Et puis, que ce soit chez Ernst & Young, à la Royale ou chez Québecor, j'avais touché à divers projets dans un contexte de gestion de changement. Du reste, j'étais déjà connue chez Desjardins.

Je me suis mise à repenser à mes années chez Ernst & Young. En 1988, quand j'ai été nommée associée, je savais très bien qu'il me fallait trouver de nouveaux mandats. Mes deux principaux clients étaient dans le domaine financier, mais ce créneau n'était pas parfaitement développé à notre bureau de Montréal. Je me suis donc résolue à le choisir. Dans ma liste de clients potentiels, il y avait la Banque Royale, des assureurs — AXA, ING — et Desjardins. C'est avec acharnement que j'ai travaillé à établir des contacts dans ces entreprises, en partant de ceux que je possédais déjà. Je savais que des propositions de vérification viendraient sans doute… Et ça a marché ! En m'attelant d'abord à des mandats ponctuels, réalisés pour AXA en fiscalité, j'ai réussi à obtenir le contrat de vérification de leur filiale de réassurance. Chez ING, ce fut la même chose, mais j'ai dû m'y prendre à deux fois. J'étais sur la piste de Desjardins avec des collègues lorsqu'on m'a demandé de soumettre des propositions pour la vérification de Trustco Desjardins. On m'a confié la responsabilité des présentations, avec Alain Beaudry, en technologie de l'information, en collaboration avec un associé plus expérimenté, Guy Fréchette. Je me rappelle avoir présenté notre travail au président de Trustco Desjardins, Marc Lemieux.

Nous avions gagné. C'était en 1994. Comme nous étions heureux, chez Ernst & Young, de cette ouverture : Desjardins allait travailler avec nous !

Quelques années plus tôt, j'avais aussi eu l'occasion de rencontrer Raymond Blais, comptable agréé et président du Mouvement de 1981 à 1986. Cet homme, mort prématurément, m'a profondément inspirée. Un homme d'une grande simplicité qui avait une logique, une façon d'être hors-norme. Il a d'ailleurs apporté une contribution remarquable à l'organisation et à l'évolution de Desjardins. J'ai lu avec beaucoup d'émotion plusieurs de ses discours.

Pour moi, le Mouvement Desjardins a été et est toujours essentiel au développement du Québec. Sans une institution financière performante et proche de son économie réelle, les citoyens et les entreprises se retrouvent dans une situation difficile et fragile. En plus, de par sa nature coopérative, le Mouvement Desjardins ne peut faire l'objet d'une prise de contrôle hostile, ce qui maintient sa propriété par ses membres, sans risque de délocalisation de sa direction à l'étranger.

J'ai travaillé chez Clarkson Gordon, une entreprise nationale, jusqu'au moment où elle est devenue une firme internationale, plus forte, mais où plusieurs décisions se prenaient aux États-Unis. À la Royale, j'ai connu ce que c'est d'être au sein d'une entreprise dont le pouvoir ultime est à Toronto.

Le modèle Desjardins était inspirant, avec ses pôles assurances et caisses qui me semblaient une réponse naturelle aux besoins des citoyens. J'ai toujours été admirative de son modèle d'affaires et de sa gouvernance participative. Cela dit, comme d'autres personnes du milieu, j'observais et je notais les problèmes du Mouvement. Je me disais, entre autres, que certains dirigeants mettaient à risque le Mouvement avec tous leurs différends politiques internes, et que leurs discussions épiques finissaient par nuire au développement et à la réputation de l'organisation. J'entendais aussi dire que certains acteurs importants avaient des réticences à propos de la performance. Pour ma part, je crois fermement que la pertinence et la durabilité d'une coopérative passent par sa performance globale afin d'assurer son développement et son adaptation à l'évolution de son environnement, et donc sa pérennité.

Au fil de mes réflexions, je suis devenue, malgré ces questionnements politiques, hyper motivée à l'idée de travailler chez Desjardins.

Les discussions se poursuivaient. J'avais croisé Alban antérieurement, quand il était vérificateur et inspecteur général du Mouvement. Au fil de nos rencontres, j'ai compris qu'il avait un autre objectif en tête à mon égard : il n'y avait aucune femme dans les équipes de direction chez Desjardins, et il s'était engagé à faire avancer ce dossier. Au bout de quelques semaines, nous nous sommes entendus, mais je lui ai indiqué que je devais d'abord parler à Pierre Karl.

À ce dernier, j'ai dit qu'il était mieux que je parte de chez Québecor, autant pour moi que pour lui. Il savait que je n'étais pas totalement alignée sur son style et ses façons de faire. Selon moi, il tenait à s'impliquer directement dans les dossiers et à faire les choses à sa manière, ce que je comprenais totalement. Nous nous sommes serré la main et regardés dans les yeux. Il respectait mon choix.

J'étais en route pour une nouvelle aventure professionnelle, la plus importante de ma carrière. Elle s'échelonnerait sur 15 ans.

Lorsque j'ai annoncé à ma fille de cinq ans que j'allais travailler chez Desjardins, elle m'a dit : « Maman, tu t'en vas faire des jardins ? » Elle confondait le travail et l'un de mes principaux loisirs, soit ce pur plaisir que je partageais depuis quelques années avec mon père de jardiner et de créer des aménagements paysagers de toutes sortes. Je m'y adonnais aussitôt que j'avais des temps libres. En 1996, Marc et moi avions acquis une vieille maison de bois sur le bord du lac Massawippi, à North Hatley, et avions fait de cet achat un projet familial. Que de weekends magnifiques nous y avons passés, Anne-Sophie, Marc et moi, notre famille, et très souvent des amis ! J'y cultivais le plaisir de jardiner, comme celui de cuisiner pour plusieurs et de partager de bons vins.

La « culture » Desjardins

Je suis donc arrivée dans une institution centenaire qui avait laissé des empreintes profondes non seulement dans toutes les régions du Québec, mais aussi dans le Nord-Est américain, ailleurs au Canada et à l'international.

Le Mouvement avait accompagné le développement économique et social du Québec et s'était avéré un formidable outil de prise en main individuelle et collective.

Au-delà du « folklore » Desjardins, d'Alphonse et de Dorimène, des parts à « 5 piastres », des ristournes, de son rôle dans la Révolution tranquille et de sa marque « verte », j'ai découvert une organisation humaine et démocratique jusqu'à l'os.

> « Le Mouvement Desjardins est une organisation coopérative, et l'autorité y est à la base plutôt qu'au sommet. Cela signifie concrètement que le processus de décision n'est pas limité à des études et à des décisions en cercle restreint, mais qu'il nécessite, au contraire, de nombreux mécanismes d'échange et de consultation qui doivent à l'occasion atteindre un grand rayonnement. »
>
> — Alphonse Desjardins

L'ADN de Desjardins, c'était ça, avec tout ce que cela peut comporter de discussions et de réunions : une institution financière démocratique, un actif collectif.

Il fallait que je m'imprègne de cet état d'esprit. Je n'aurais plus à répondre à des associés ou à des actionnaires, mais à des assemblées souveraines et fortement décentralisées.

J'ai découvert une entreprise basée sur des valeurs coopératives — la solidarité, le bien commun, l'engagement, la préservation de la richesse collective —, mais en même temps confrontée aux impératifs de compétition, de rentabilité et de volatilité des marchés financiers. J'allais apprendre à naviguer dans ces eaux, à marcher sur un fil de fer.

C'est en août 2001 que je me suis installée au 40e étage de la tour sud du Complexe Desjardins, le principal édifice de l'institution à Montréal, situé sur le boulevard René-Lévesque. On m'a donné le bureau de coin qu'avait occupé mon prédécesseur, Michel Therrien. J'étais présidente de la Société financière Desjardins-Laurentienne (la SFDL, devenue Desjardins Société financière) et chef de la direction des filiales.

La petite équipe de la SFDL était plutôt heureuse de me voir arriver parce qu'elle venait d'être ballottée pendant plus d'un an. L'un des premiers événements que nous avons vécus ensemble fut l'attentat tragique du 11 septembre 2001.

J'étais à mon bureau lorsque nous avons reçu les premières nouvelles. J'ai tout de suite appelé Alban : « Tu devrais convoquer une réunion d'urgence, il se passe quelque chose de très sérieux à New York. » Lui et moi réagissons parfois différemment aux situations. Quand il y a des chocs ou des incidents majeurs, j'aime bien disposer rapidement de scénarios de gestion de crise et de plans d'action. Alban, lui, est plus philosophe. Nous avions alors des équipes de Desjardins Gestion d'actifs à New York et étions tous inquiets, jusqu'au moment où nous avons pu les joindre. Cette situation hors du commun a immédiatement créé des liens dans l'équipe.

Pour les présidents et chefs d'exploitation de filiales, l'arrivée d'une nouvelle présidente de la SFDL — une femme — qui n'était pas issue de Desjardins et qui avait une mission claire de meilleure intégration des activités n'était pas de bon augure. Ils étaient sur leurs gardes, d'autant plus qu'Alban D'Amours avait indiqué au conseil : « Monique pourra nous aider à mieux travailler avec les caisses et à améliorer notre performance. » Alban n'était pas en soi un patron interventionniste. Moi, j'étais bien décidée à réussir mon mandat.

Ce fut un dur apprentissage. Chaque filiale avait sa culture, ses façons de faire, son conseil d'administration, et chacune préservait jalousement ses acquis : « On connaît notre job ; donne-nous tes objectifs et ne te mêle plus de ça. » Pas facile, la résistance au changement ! Je souhaitais que les filiales fassent partie du tronc commun Desjardins, qu'elles collaborent en souplesse avec les caisses. De ma perspective, les donneurs d'ordres étaient les membres et les clients. Pour moi, tout ce que faisait

Desjardins devait converger vers une relation forte avec les membres, par un travail efficace et harmonieux avec les caisses et entre les filiales.

Nous avons mis en place un comité de direction de la SFDL qui devait voir à ce que les filiales avancent « main dans la main ». Ça ne se réalisait pas toujours sans tension. Mais nous sommes tout de même parvenus à redresser notre performance générale et à régler certains dossiers litigieux. J'ai fait également de belles rencontres avec nos employés et nos gestionnaires, j'ai eu des discussions stimulantes avec nos équipes d'actuariat en assurance générale et en assurance vie, et j'ai pu approfondir ma connaissance du secteur placement et gestion de patrimoine. Même dans les périodes plus tendues, il y a eu de nombreux moments de camaraderie.

J'ai aussi bâti des relations de confiance avec les conseils des filiales, constitués de gens du réseau des caisses que j'ai appris à connaître et qui se sont révélés de précieuses ressources-conseils. Ils ont par ailleurs été d'un profond réconfort : mes rapports étaient souvent meilleurs avec eux qu'avec les présidents des filiales.

À l'ordre du jour de nos réunions, j'ai voulu parler de ce que l'on pouvait mieux accomplir ensemble. Ça ne s'est pas fait facilement. Je me souviens entre autres du dossier Elantis. Il s'agissait de l'ancien Canagex, une firme de gestion de placements qui gérait beaucoup d'actifs du Mouvement : la caisse de retraite, les portefeuilles des compagnies d'assurances. Cette filiale avait vécu plusieurs changements. Dans les années quatre-vingt-dix, sa direction s'était déplacée vers Toronto puis avait été rapatriée à Montréal. L'ambiance n'y était pas bonne, et les performances des portefeuilles étaient très mauvaises (elles se situaient dans le quatrième quartile), ce qui mettait de la pression sur les compagnies d'assurances, ralentissait les ventes dans le réseau et, bien sûr, ne faisait pas l'affaire des caisses ni des présidents de filiales ! Comment parvenir à ce qu'Elantis fonctionne bien et, surtout, comment améliorer la performance et la flexibilité de Desjardins en gestion de placements au bénéfice de nos membres et du Mouvement ?

En 2003, nous avons réorganisé nos activités de gestion de placement et cédé le contrôle de cette filiale à Jean-Guy Desjardins, un financier et gestionnaire de placements reconnu qui avait fait le succès de TAL Gestion globale d'actifs. Et nous avons consolidé la gestion de nos actifs en interne avec Desjardins Gestion d'actifs. Ce fut une bonne affaire, le Mouvement ayant conservé une participation minoritaire dans cette nouvelle société (devenue Fiera Capital), basée à Montréal et aujourd'hui à la tête de plus de 110 milliards d'actifs. La transaction fut bien reçue par tous, y compris au sein du réseau, puisque nous sommes restés présents là où nous avions de l'expertise (Desjardins Gestion d'actifs) et avons cédé le contrôle là où nous n'en avions pas.

J'ai vécu avec beaucoup d'intensité et de travail mes trois années du premier mandat d'Alban. Au bout de cette période, j'avais réussi à remettre les filiales sur la voie de la performance en matière de croissance de revenus et de bénéfice net, et la collaboration entre les équipes s'était améliorée. Il restait encore du travail à faire — et c'est encore vrai au moment d'écrire cet ouvrage. Mais le résultat de nos efforts était très positif. Les filiales de Desjardins travaillaient mieux ensemble et avec les caisses. De fait, nous sommes partis d'un groupe de filiales qui faisaient environ 100 millions de bénéfice net en 2001 à plus de 800 millions en 2015.

Avec le recul, toutefois, je crois que j'aurais dû procéder autrement. J'ai investi beaucoup de temps à vouloir concilier les plans et amener les uns et les autres à se concerter, alors que, pour certains, il n'était pas question d'adhérer à l'équipe et de collaborer. Cela dit, même si j'étais par moments découragée, j'ai agi en respectant ma philosophie de gestion : tenter de toutes mes forces de rassembler plutôt que de diviser et faire travailler les gens ensemble, dans le respect, l'efficacité, et le plaisir quand c'est possible. Et j'ai surtout appris en cours de route qu'il faut savoir prendre des décisions lorsque certains ne partagent pas les valeurs et la culture de l'organisation et qu'ils refusent de se rallier à une décision prise en collégialité : il faut parfois leur demander de partir — même s'ils sont compétents —, pour le bien de l'équipe et de l'entreprise.

Alban D'Amours a été réélu sans opposition en 2004. Son premier mandat avait été marqué par l'importante mise en place de la Fédération unique, en 2000. Elle a mis fin à nombre de tiraillements internes majeurs, impliquant entre autres la Fédération de Montréal et la Confédération des caisses.

Durant son deuxième mandat (et son dernier, en accord avec les règles de Desjardins), Alban souhaitait effectuer d'autres changements structurels pour renforcer la direction unique de Desjardins.

C'est dans ce cadre qu'eut lieu un long débat sur l'avenir de la Financière, que je dirigeais. Certains étaient d'avis que la Financière n'était plus pertinente. D'autres arguaient plutôt qu'il s'agissait d'une structure financière utile et qu'il faudrait nécessairement la relancer pour des raisons d'évolution stratégique et de gestion de capital. Je me retrouvais évidemment en plein cœur de ce débat. Au bout de quelques mois, notre conseil a pris la décision de confier la direction des filiales directement à la présidence du Mouvement et de me nommer représentante observatrice de la présidence aux conseils des filiales. De plus, bien que le comité de direction de la Fédération était maintenu, les présidents des filiales siégeraient dorénavant à un nouveau comité de direction stratégique du Mouvement au sein duquel on créerait un poste de chef des finances du Mouvement Desjardins.

Alban m'a alors demandé d'occuper ce poste; l'évolution du Mouvement nécessitait une solide direction financière.

Ce nouveau défi ne m'inspirait pas vraiment. J'étais déjà passée par là à la Banque Royale, et j'avais une idée assez précise de ce qui m'attendait. Je savais qu'il y avait encore des opérations comptables «manuelles» et que les outils et systèmes financiers du Mouvement étaient pour le moins désuets. Je caricature un peu la situation, mais ce que me demandait Alban, c'était d'apposer ma signature et la sienne au bas d'états financiers produits par des systèmes non intégrés… mais aussi par quelques «bouliers chinois».

Malgré mes appréhensions, je me suis mise à la tâche. Ce fut un immense travail de débroussaillage, mais aussi un effort «de gestion culturelle», parce que je me retrouvais à nouveau dans un contexte de changement. En effet, à ce moment sont apparus dans l'actualité les scandales «à la Enron». Bien sûr, on se le rappelle, les règles de gouvernance financière et de contrôles internes ont alors pris, dans toutes les organisations, une importance sans précédent. La préparation d'états financiers était désormais encadrée d'un processus de divulgation interne et externe exigeant. Cela voulait aussi dire qu'il fallait de nouvelles procédures de contrôle, de divulgation et de reddition de comptes pour toutes les filiales, la Caisse centrale, la Fédération puis le réseau des caisses.

On m'a opposé une certaine résistance : « Pourquoi je te signerais une attestation ? », « C'est quoi, cette affaire-là ? », « Pourquoi toutes ces questions ? »… J'avais l'impression de passer l'aspirateur dans une pièce remplie de visiteurs. Je dérangeais tout le monde ! C'était difficile. Et ce n'était pas la meilleure manière de me faire aimer dans un Mouvement où, après quatre ans, on me considérait encore parfois comme une nouvelle interne. Néanmoins, j'ai eu la chance d'être appuyée par une excellente équipe, formée entre autres de Raymond Laurin, de Benoît Lefebvre, de Sylvie Béchard et de Serge Gagné.

Les collègues de la direction ont appris à composer avec moi, et j'ai dû apprendre à les convaincre. Cela me rappelait l'époque de mes concours de piano… Je me doutais bien que je ne deviendrais pas concertiste, mais je me disais : « Je suis rendue trop près du but, je n'abandonnerai pas. Il y a peut-être un autre plateau à atteindre, un autre défi à relever. » Dans le contexte où je me trouvais alors, je me disais, un peu de la même manière : « Au fond, être chef des finances de la plus grosse institution financière du Québec, c'est important. Il y a un besoin véritable, et je peux apporter ma contribution même si cela est difficile. Je ne serai pas capable de tout faire ; je vais réaliser une partie du travail, et je vais faire mon possible pour amorcer un mouvement dans la bonne direction. » Voilà comment je suis passée à travers mes quatre années à la direction des finances.

Il ne faut pas croire que tout était négatif. J'avais des collaborateurs très agréables et je me suis fait beaucoup d'amis durant cette période. Lentement, j'ai continué à intégrer le cercle des membres des conseils d'administration de la Fédération et des filiales. Les caisses m'ont conviée à parler des enjeux financiers qui nous concernaient. J'essayais de faire mon travail le mieux possible et de gérer avec patience les tensions avec certains collègues qui, pour des raisons parfois obscures, me faisaient la vie un peu dure sur le plan de la collaboration. Peut-être se sentaient-ils menacés ou inconfortables à la perspective de partager l'information. J'étais toutefois toujours disponible pour répondre aux questions des caisses et pour contribuer aux projets des uns et des autres. Je dois dire que plusieurs, au sein du Mouvement, semblaient m'apprécier, et ils me le témoignaient très gentiment.

Hors de Desjardins, je me suis impliquée auprès de l'Orchestre symphonique de Montréal et de HEC. J'ai été invitée à siéger au conseil d'administration de Rona. C'est aussi au cours de cette période que j'ai développé une relation de confiance avec Michel Lucas, du Crédit Mutuel de France, que j'avais connu au conseil d'Assurances générales Desjardins. Je l'avais consulté à quelques reprises quand j'étais arrivée aux finances afin de mieux comprendre le fonctionnement du Groupe Crédit Mutuel, de leurs filiales et du réseau des caisses. Dans le même but, j'avais rencontré les gens du Crédit Agricole afin de comprendre leurs mécanismes de gouvernance et de gestion financière. J'ai toujours trouvé important de comprendre ce qui se passait dans le monde coopératif pour avoir des points de comparaison ou des pratiques à partager chez Desjardins.

Bien sûr, le travail occupait une partie très importante de ma vie ; mes temps libres, je les consacrais à ma famille, aux amis et à mes parents, qui passaient beaucoup de temps avec nous à la campagne. Depuis toujours, j'adore cuisiner. Au fil des années, j'ai monté une collection impressionnante de livres de recettes. Mes week-ends étaient et sont toujours en partie dédiés à la préparation de repas, que j'aime partager à plusieurs.

Le piano et la musique ont continué d'être très importants dans ma vie, d'autant plus qu'Anne-Sophie a commencé à apprendre le piano. Cela était un incontournable afin qu'elle développe sa concentration et maîtrise le stress. Anne-Sophie a pris l'engagement d'étudier le piano jusqu'à la fin de ses études secondaires, engagement qu'elle a tenu. Chapeau, Anne-Sophie !

À cela s'ajoutait, à chaque année, un grand voyage avec Marc et Anne-Sophie. Tous les trois, nous prenions le temps d'en discuter : Marc voyait aux préparatifs généraux, alors que moi, je m'intéressais particulièrement aux hôtels, aux repas et à certains itinéraires touristiques. J'avais beaucoup de plaisir à lire pour faire cette préparation. De ces voyages avec Anne-Sophie et Marc, je me rappelle les nombreux carrefours giratoires européens que nous faisions à deux ou trois reprises afin de repérer la direction à prendre. Et la découverte, par Anne-Sophie, qu'elle aimait bien manger les cuisses de grenouilles qu'on lui a servies pour la première fois dans un restaurant en Bourgogne.

Le chemin plus que la destination

D'année en année, mon osmose avec le Mouvement gagnait en profondeur et en qualité. Desjardins me démontrait chaque jour qu'au-delà de la technique il y a l'humain. La gestion de l'humain est un apprentissage quotidien, plus particulièrement dans un univers où la place accordée au consensus et au résultat démocratique est de première importance. J'observais que Desjardins avait été bâti par une forme de gestion collective et par des discussions rigoureuses avec l'ensemble des parties prenantes. C'est la culture coopérative.

Je suis devenue plus sage en prenant plus de temps pour planifier et discuter. Je mesurais la valeur de la capacité d'adaptation. Il faut de l'agilité pour partir d'une idée qui nous apparaît excellente et déterminer ce que l'on doit faire pour la transformer en action véritable et durable. Il faut de la conviction, de l'écoute et de la persévérance pour trouver le chemin avec les autres, conclure des ententes, être à la source d'initiatives fécondes. Le parallèle que l'on peut faire avec la politique, quand elle se pratique dans les règles de l'art, est ici assez évident.

Dans le monde des affaires, on remarque parfois que, plus les *leaders* avancent, plus ils sont pressés, et moins ils ont de propension au consensus. Le pouvoir les rend pour ainsi dire «hors d'atteinte». Or, la cible est une chose, mais la route que l'on prend pour y parvenir est très importante aussi. Chez Desjardins, et dans tout mouvement coopératif, les parcours arrondis, les arabesques, sont souvent plus porteurs que les lignes droites.

De toute façon, quand on dirige une grande entreprise, le chemin n'est pas toujours linéaire. Si vous n'usez pas d'écoute et d'adaptation, vous risquez la rupture, auquel cas vous ne réaliserez pas grand-chose, car rien n'évoluera.

J'apprenais donc les subtilités de la gestion et de la gouvernance participative, ainsi que la lecture des résistances. Le changement, c'est du risque; il modifie le *statu quo* et le confort de nos habitudes. Chez Desjardins, la culture de prudence et de discussion par rapport au changement est plus forte que dans la plupart des entreprises. L'organisation est composée de milliers de personnes représentatives de la société et en provenance de différentes communautés. Bien sûr, un bon nombre de gens s'inscrivent naturellement dans le changement et sont capables de dire: «Allons-y rapidement et avec confiance, même si nous n'avons pas toutes les réponses. » D'autres nuanceront: «Donnons-nous des principes respectant nos valeurs et lançons-nous. » Finalement, d'autres y seront réfractaires, parfois pour des raisons personnelles et politiques, parfois par manque de compréhension.

Il faut laisser le temps à la racine de s'ancrer, l'expérience me l'a montré. *On ne tire jamais sur les plantes pour les faire pousser.* C'est aussi le cas pour les idées et les individus. Il faut plutôt instaurer les conditions favorables afin de se permettre de réfléchir, de s'influencer positivement et de s'engager avec confiance dans l'action.

Il y avait plus de six ans que j'étais au Mouvement. J'avais laissé le temps à mes racines de se développer dans le sol vert de Desjardins. Le moment était venu de passer à une autre étape.

La présidence

En 2007, la crise financière mondiale était à nos portes. Comme d'autres, je m'inquiétais et voyais poindre un certain nombre d'indicateurs défavorables. À l'été, la crise américaine des *subprimes* ne laissait rien présager de bon. En se basant sur l'hypothèse d'un taux de défaillance des prêts de 15 % (c'est-à-dire que 15 % des emprunteurs ne pourraient pas rembourser leurs prêts), certains avaient évalué le coût financier de la crise à près de 160 milliards de dollars : des sommes importantes, certes, mais pas de quoi provoquer une crise mondiale. Or, plusieurs signaux d'avertissement s'allumaient. De mon poste d'observation privilégié, je m'y intéressais autant que je le pouvais. Certains collègues me trouvaient indûment pessimiste.

Le bilan de Desjardins était alors relativement solide : ses actifs approchaient les 150 milliards de dollars, et ses revenus totaux, les 9 milliards ; nos ratios de capital et de liquidité étaient bons mais bien inférieurs à ceux que nous avons atteints en 2015. Avec ses 6 millions de membres et clients, son réseau de caisses et ses 40 000 employés, le Mouvement pouvait faire face à une crise majeure — sur laquelle, d'ailleurs, personne ne s'entendait.

À l'automne, le vent qui précède la tempête a commencé à souffler. Un facteur interne venait ajouter à l'incertitude générale : Alban D'Amours terminerait son deuxième mandat en mars 2008. Selon le processus, il y aurait donc une élection pour déterminer qui prendrait la tête du Mouvement. La campagne électorale se mettrait bientôt en place — un type d'événement qui comporte des jeux politiques inévitables.

J'étais à la haute direction de l'organisation. À ce niveau, de telles échéances et les changements qu'elles impliquent nous interpellent. Pour d'aucuns, l'arrivée d'un nouveau président peut être angoissante. Pour moi, cela a été le déclencheur d'une réflexion personnelle importante.

En effet, la passation des pouvoirs est l'occasion de remises en question. Je me suis demandé : « Quel est mon avenir chez Desjardins ? » Depuis plus de trois ans, je dirigeais les finances d'une grande organisation coopérative. Les efforts de mon équipe portaient leurs fruits. J'étais bien en selle, mais j'éprouvais franchement l'envie de faire plus et de revenir dans la direction stratégique et les opérations. Ce goût de vivre de nouvelles expériences, qui m'a toujours caractérisée, revenait à la surface, comme un défi personnel. Quel serait mon rôle avec la nouvelle présidence en place?

Il était à peu près impossible de répondre à cette question. Et, durant l'été 2007, j'ai compris que les successeurs potentiels, même s'ils ne pouvaient pas encore se manifester, ne seraient pas tous des alliés.

L'un des candidats, Bertrand Laferrière, incarnait la continuité et était perçu par tous comme le dauphin d'Alban. Cela suscitait de nombreuses conversations au sein des équipes de la direction de la Fédération, des filiales et dans le réseau des caisses.

Je contemplais la scène. J'aimais de plus en plus Desjardins. Je me sentais à l'aise avec les fondements du Mouvement. Je voulais que le monde coopératif soit considéré à sa juste valeur, qu'il prenne pleinement sa place sur l'échiquier international, et qu'il soit mieux reconnu par les pouvoirs publics et par les autorités réglementaires à travers le monde. Et je voyais surtout beaucoup d'occasions à saisir pour le Mouvement avec des partenaires du secteur coopératif canadien.

Durant cette période, je méditais un vieil adage: on n'est jamais si bien servi que par soi-même. L'idée de me présenter à la présidence émergeait. Je me suis dit que le mieux était de consulter des personnes expérimentées, de confiance. À l'été 2007, je suis donc allée voir Jacques Sylvestre, un administrateur de caisse et un précieux conseiller depuis mon arrivée chez Desjardins. Il m'a posé quelques questions de fond et m'a forcée à réfléchir à la contribution que je pouvais apporter. Au fil de discussions avec des proches et des amis, les avis que l'on me donnait étaient positifs et utiles, mais ils ne me convainquaient pas encore entièrement.

Je ne suis pas «née» dans le Mouvement. Bien que, comme plusieurs, j'ai connu Desjardins avec la caisse scolaire à l'école primaire, je ne suis pas l'enfant naturelle d'Alphonse et de Dorimène. Étant donné mon expérience professionnelle, je suis parfois identifiée à l'aile financière, voire «capitaliste», du Mouvement. Certains m'accolaient même une fausse image de femme issue d'une famille bourgeoise: une pianiste classique vivant à Outremont et dont le conjoint voyage de par le monde. Mais les apparences sont parfois trompeuses. Trop peu savaient que j'étais avant tout la fille d'un petit marchand de chaussures, que ma famille avait vécu des difficultés et s'en était sortie. Chez Desjardins, on ne se doutait pas que, depuis l'âge de 12 ans, j'avais cumulé 3 ou 4 emplois alors que j'étais aux études.

Un autre facteur risquait de jouer contre moi. Je suis une femme. Certes, il y avait des avancées réelles à ce sujet au sein du Mouvement : parmi les cadres, le pourcentage de femmes était passé de 11 à 30 % au cours des 13 années précédentes. En 2007, les femmes comptaient pour 33 % des effectifs dans les conseils d'administration de caisses et les comités de surveillance, en comparaison de 28 % en 2001. Mais peu d'entre elles étaient directrices générales ou présidentes de conseil de caisse. Et, surtout, Desjardins n'avait jamais eu de femme à sa tête. J'avais entendu dire que quelques candidatures féminines étaient à prévoir, et je savais que cela ajoutait un niveau de difficulté au marathon. En 2007-2008, les femmes qui dirigeaient de grandes institutions en Amérique du Nord se comptaient sur les doigts de la main, et aucune d'elles ne se tenait au gouvernail d'une entreprise financière et coopérative de plus de 40 000 employés.

Pour ma part, j'avais eu plusieurs belles reconnaissances. Je faisais partie des « 100 femmes les plus puissantes du Canada » et des « 25 à surveiller en 2008 », selon le Women's Executive Network et le *Women's Post*. Au Québec, j'étais de la garde montante et j'avais désormais un bon bagage d'expérience. Mais était-ce suffisant ?

Au mois de décembre, l'étau se resserrait. Il me fallait bientôt confirmer ma décision. Peut-être la plus importante de ma vie professionnelle. En tout cas, certainement la plus spectaculaire, voire la plus « périlleuse ».

Avais-je vraiment le goût de prendre ce beau risque — qui pouvait me mener à perdre publiquement ? À certains égards, le jeu électoral est sans pitié.

Personne n'aime se faire battre. Surtout publiquement. En même temps, je savais que, si je me lançais, j'y mettrais tout mon cœur et n'éprouverais aucun regret. Quel serait mon avenir chez Desjardins dans l'éventualité d'une défaite ? « On verra bien », m'a dit Marc. « Tu es la meilleure », m'a dit ma mère. « Fais-toi confiance », m'a dit mon père. Et Anne-Sophie m'a dit : « Vas-y, maman ! »

Alors j'ai plongé, comme je l'ai toujours fait ; au Conservatoire, à Chicoutimi, chez Clarkson, à la Royale et chez Desjardins. J'ai peur des hauteurs ou de me faire mal à vélo, mais il m'est impossible de reculer devant un tel défi professionnel. Mes chances n'étaient pas les meilleures ? Qu'à cela ne tienne. Je fonçais. Et on travaillerait fort !

En janvier, les candidats se sont annoncés ; nous ferions campagne jusqu'au 15 mars, jour de l'élection, qui aurait lieu à Québec. Les réactions à ma candidature allaient de polies à enthousiastes. C'était un départ.

Nous étions huit. Dès le départ, j'ai souhaité m'appuyer sur un accompagnateur pour la campagne — tous les candidats y avaient droit, selon les règles du processus de l'époque. Ce serait Serge Cloutier, homme d'expérience chez Desjardins et possédant un sens politique exceptionnel. Il était directeur général de caisse à Montréal, avait été administrateur à la Fédération des caisses de Montréal et était membre du conseil de Desjardins Sécurité financière. Nous nous connaissions assez bien, depuis 2001, et nous nous appréciions. Mais nous n'avions encore jamais travaillé étroitement ensemble.

Tous les deux, nous avons organisé ce qui, je crois, a joué un rôle prépondérant dans mon élection : ma mise en contact directe avec les 255 membres du collège électoral.

Selon le processus établi, chaque candidat devait s'adresser, lors de rencontres formelles, aux délégués votants. Cela se faisait par groupe de 50 ou de 75 dans les différentes régions. De mon côté, je tenais en plus à leur parler un à un, le soir, les fins de semaine. Je les appelais à la maison ou sur leur cellulaire. Je faisais en quelque sorte mon « porte-à-porte » ! D'autres candidats, peut-être parce qu'ils se considéraient de plus grande notoriété, ne se sont pas astreints à tous ces appels. Ce fut un véritable marathon, en parallèle avec les travaux de fin d'année financière. J'ai communiqué avec certains membres plus d'une fois. De fait, j'ai beaucoup travaillé. Durant cette période, j'ai maigri de 10 livres.

Avec Serge, j'effectuais un retour sur mes conversations. Il était lui-même en contact avec de nombreux membres du collège électoral, notamment avec Jacques Sylvestre et Gaston Bédard.

J'ai aussi voulu avoir l'avis de Suzanne Maisonneuve-Benoit, une dirigeante de Desjardins qui était au fait des enjeux et du contexte du Mouvement. Je la connaissais bien puisqu'elle était aussi administratrice de Desjardins Sécurité financière. Je dois dire que Serge, Jacques, Suzanne et Gaston ont été des directeurs généraux et des dirigeants très engagés dans le Mouvement. Ce sont des gens d'idées et de convictions qui ont su bâtir, au fil du temps, un réseau de relations de confiance au sein de Desjardins. Leurs conseils ont été pour moi très précieux et je les en remercie sincèrement.

Pour moi, cette période électorale équivalait à avoir un emploi de 7 jours par semaine, à raison de 10 à 12 heures par jour, voire plus, compte tenu de mes tâches à la direction financière du Mouvement. Encore une fois, l'équipe qui m'appuyait, Raymond Laurin notamment, a accompli un travail remarquable.

Après avoir écouté tant de gens, j'ai peaufiné ce qui est devenu mon « programme politique ».

J'y ai mis tout mon cœur. Il ne s'agissait pas seulement de mots alignés en paragraphes. C'était le condensé de principes, rédigés en harmonie avec mes propres convictions et les valeurs de l'organisation que je voulais diriger. J'y ai donc réfléchi en profondeur.

Durant le congé des fêtes de 2007, j'ai passé des heures à m'imprégner de la pensée d'Alphonse Desjardins et à relire les principaux discours de mes prédécesseurs. Je couplais leurs idées avec mes observations et intentions, que je colligeais dans mes cahiers de notes. J'ai commencé par décrire la situation telle que je la voyais, puis ce qu'étaient les enjeux, les occasions à saisir, et surtout mes convictions et mes engagements pour la présidence de Desjardins. Au début de janvier 2008, j'avais donc écrit mon programme. J'ai d'ailleurs conservé ces cahiers, qui contenaient tous mes textes. Après mon élection, je les ai mis au propre et je les ai consultés à quelques reprises pour m'assurer de respecter mes engagements.

Nous avions le droit de communiquer par écrit, dans un format bien précis, à six reprises avec les membres du collège électoral. Cela a été exigeant, mais mon travail de réflexion et de rédaction du temps des fêtes m'a beaucoup facilité les choses. J'ai d'abord énoncé mes cinq convictions :

> 1- Les caisses sont la force motrice du Mouvement.
> 2- La Fédération et les filiales sont au service des caisses et de leurs membres.
> 3- La croissance du Mouvement se fera par les caisses, soutenues par la Fédération et les filiales.
> 4- Notre capital humain est notre principal atout pour le futur.
> 5- Les valeurs coopératives sont au cœur de notre action.

C'était simple, efficace, et la notion de service aux membres était au centre de mes préoccupations. Au fil de mes discussions, j'avais compris qu'un des principaux reproches faits aux dirigeants de la Fédération était qu'ils étaient parfois perçus comme déconnectés de la réalité des membres, donc des caisses. *A posteriori*, force est de constater que mon message a eu une résonance chez bien des électeurs et dans l'ensemble du Mouvement.

Le marathon électoral ne fut pas de tout repos. Certains ont voulu déplacer la course sur la place publique ; un quotidien de Montréal a d'ailleurs publié quelques manchettes plus ou moins agréables à mon égard. Ces tactiques, qui n'étaient pas autorisées, ont plutôt eu pour effet de me stimuler et de me faire travailler encore plus fort.

Puis la grande fin de semaine est arrivée. Voici comment le journaliste Sylvain Larocque, de La Presse canadienne, présentait les choses le 14 mars, veille de l'élection :

> « Les candidats les plus connus sont Bertrand Laferrière, président et chef de l'exploitation de la Fédération des caisses Desjardins, Jean-Guy Langelier, président et chef de l'exploitation de la Caisse centrale Desjardins, Jude Martineau, président et chef de l'exploitation de Desjardins Groupe d'assurances générales et Louis L. Roquet, président et chef de l'exploitation de Desjardins Capital

de risque. Clément Samson, président du conseil des représentants de Québec-Ouest–Rive-Sud, est aussi sur les rangs.

Trois d'entre eux sont des femmes : Monique Leroux, chef de la direction financière de Desjardins, Andrée Lafortune, professeure titulaire à HEC Montréal et présidente du conseil des représentants de l'ouest de Montréal, de même que Sylvie St-Pierre Babin, vice-présidente du conseil des repré-sentants de l'Abitibi-Témiscamingue Nord et Ouest du Québec. » [1]

Aussi bien dire que je n'étais pas dans la course.

L'élection avait lieu à l'hôtel Le Concorde. Tous les candidats, y compris moi-même, étaient logés dans dif-férents établissements. J'avais décidé de ne pas résider à l'hôtel choisi pour l'élection. Je voulais me concentrer sur ce que j'avais à faire.

Je faisais encore des appels la veille, jusqu'à la fin de la journée. J'étais dans ma bulle. Tout ça ressemblait beau-coup à la pression d'un concours de piano : il y avait une compétition, le moment de la prestation arrivait, et il fallait que je m'exécute. J'étais dans cet état d'esprit.

On nous avait demandé d'être là assez tôt le 15 mars au matin. La salle était aménagée de telle sorte que la tribune se trouvait à l'avant, sur une petite estrade

— le président du Mouvement et la présidente du comité d'élection, Annie Bélanger, devaient être sur la scène pour animer l'assemblée. Nous, les candidats, étions assis l'un à côté de l'autre, à la première rangée. Le bureau de scrutin était situé au fond de la salle. À l'ouverture de l'assemblée, après les allocutions du président et de la présidente, nous avions chacun un temps prescrit pour notre discours. Selon ce qu'on m'en a dit, il semble que j'ai fait bonne figure. Personne ne s'attendait à ce que je m'adresse aux délégués avec autant d'aplomb. Ai-je besoin de vous dire que je m'étais longuement préparée à livrer mon texte, qui s'articulait autour de mes cinq convictions ? J'avais rédigé là ma préface à la présidence. J'en étais convaincue.

Je n'avais pas le trac. J'avais la concentration d'une pianiste qui devait, ce jour-là, se présenter devant 256 personnes. Je ressentais un certain stress, bien sûr, mais c'était un stress positif, une forme d'énergie concentrée. J'avais voulu me présenter à l'élection, j'en acceptais les règles. C'était l'aboutissement d'une longue préparation. Je voulais me rendre le plus loin possible, avec une énergie positive et dans le respect des gens. Et je me disais : « Quel privilège tu as de vivre ce moment unique, Monique ! »

Les tours de votes ont commencé. Dans le cas de mon prédécesseur, il avait fallu sept heures et six tours pour en arriver à déterminer un gagnant. J'étais prête à cela. Après le premier tour, Sylvie St-Pierre Babin a dû se retirer de la course. Au deuxième tour, ce fut Andrée Lafortune. Au troisième, alors que personne n'atteignait encore la majorité, Louis Roquet a rendu les armes. Puis ce fut Jude Martineau.

L'heure du dîner arriva. La fébrilité régnait dans la salle. Nous étions tous en attente, un peu nerveux. Moi aussi.

J'étais toujours dans la course. Plusieurs en étaient surpris. Au cinquième tour, deux candidats *ex æquo*, Jean-Guy Langelier et Clément Samson, ont dû se retirer. C'était totalement inattendu. Au sixième tour, il ne restait donc plus que Bertrand et moi. Dans l'éventualité d'une finale à deux, on nous avait avertis qu'il était possible que les derniers candidats aient à s'adresser de nouveau aux membres avant le vote final.

J'avais préparé un court discours, selon la règle. Je le connaissais par cœur. J'avais également écrit un mot de remerciement, au cas où.

Un tirage au hasard a déterminé que Bertrand serait le premier à prendre la parole. J'ai donc parlé en second. Mon engagement et mes convictions ont touché le cœur des gens. Et je crois sincèrement que cela a fait une différence.

Nous en étions au vote. L'émotion était palpable. J'ai regardé à plusieurs reprises Serge Cloutier en me disant que nous avions fait tous les efforts possibles.

Serge était sur le plancher, avec les autres membres du collège électoral. Je le voyais discuter avec les uns et les autres. Il a parlé à Gaston, à Jacques et à bien d'autres. Car ceux qui avaient voté pour les candidats défaits devaient se repositionner. Leur choix était déterminant pour le résultat final.

Enfin, la présidente du comité d'élection, Annie Bélanger, est revenue à l'avant avec le président sortant. La salle était silencieuse mais fébrile. En les regardant s'installer à la table pour annoncer les résultats, je ne sais pourquoi, j'ai eu une bonne intuition. Mais mon cœur battait fort! On a annoncé le résultat: j'étais élue. Les gens se sont levés en applaudissant. Comme une forme d'ovation. Cela a duré longtemps, il me semble. Et je me suis dit: « Monique, tu es élue présidente du Mouvement Desjardins. Tu as ce privilège, mais surtout la responsabilité de livrer la marchandise! » Je me suis avancée pour prononcer mon discours de remerciement avec un niveau d'émotion que je n'avais encore jamais connu dans ma vie professionnelle! Tout un chacun venait me féliciter lorsque Marc et Anne-Sophie sont entrés dans la salle. Anne-Sophie m'a sauté au cou!

Le processus de Desjardins prévoit que les résultats finaux du vote ne sont jamais divulgués, et c'est très bien ainsi. Avec le recul, j'ai émis l'hypothèse que mon collègue Bertrand avait l'appui d'une base importante, plus ancrée dans la continuité; les autres candidats et moi, nous nous étions partagé le reste des votes. Or, à la fin, ma candidature a rallié ceux qui souhaitaient un certain changement en lien avec mes convictions. La façon dont j'ai établi mes contacts avec les membres votants a certainement joué en ma faveur. J'avais essayé d'être respectueuse de leurs idées et d'expliquer les miennes clairement. Je leur demandais leur appui, mais aussi : « Qu'est-ce que vous aimeriez que je retienne de cette rencontre ? », « Qu'est-ce qui est important pour vous ? » J'avais donc intégré dans mes réflexions les aspirations de plusieurs électeurs. En somme, ma base s'était élargie au fil des tours de scrutin, me menant ainsi à la présidence.

Mon élection a créé une onde de choc dans tout le Canada, principalement parce que c'était une femme qui accédait au poste de présidente. On a titré « First woman to take helm at Desjardins » (*Hamilton Spectator*), « Desjardins sera dirigé par une femme » (*Acadie Nouvelle*), « Monique F. Leroux Becomes First Woman Elected as President and CEO of Desjardins Group » (*Globe and Mail*), « Une femme à la tête de Desjardins » (*La Presse*), « Madame la présidente » (*L'actualité*).

Par solidarité féminine, Pauline Marois, alors chef du Parti québécois, a fait la déclaration suivante : « Je sais qu'elle saura s'acquitter brillamment de ce mandat avec rigueur et intelligence. Elle est une femme exceptionnelle, expérimentée, et il y a de quoi être fier de la voir aujourd'hui présidente du plus grand mouvement coopératif québécois. »[2] La ministre des Finances du

Québec de l'époque, Monique Jérôme-Forget, s'est aussi exprimée à la suite de mon élection : « Franchement, je suis une grande admiratrice, a-t-elle commenté. Je salue l'énergie et la force de caractère de cette femme remarquable qui a gravi tous les échelons. »[3]

J'ai fêté simplement, entourée de Marc, d'Anne-Sophie et de quelques proches. Je savais que je me mettrais au travail dès le lendemain.

Cette nuit-là, je n'ai pas dormi. Cela est exceptionnel pour moi. Je venais de me rendre compte d'un fait bien simple, mais en même temps fondamental : je n'étais plus une gestionnaire de haut niveau, j'étais une « élue » en qui le collège électoral avait mis sa confiance. C'était toute une différence, une responsabilité supplémentaire, que je réalisais en revoyant en continu dans ma tête le déroulement de la journée de mon élection.

J'ai voulu rencontrer chacun des candidats défaits dans les semaines qui ont suivi ma nomination. Aussitôt en poste, officiellement le 29 mars à l'assemblée générale annuelle, j'ai annoncé mes couleurs :

> « Je vous ai présenté ma vision d'avenir et mes convictions. Vous m'avez élue pour présider notre Mouvement parce que vous appuyez ces orientations. Vous m'avez choisie pour que nous puissions ensemble "faire vivre Desjardins avec confiance". J'en mesure

l'immense honneur et je réalise pleinement la responsabilité de dirigeante élue qui m'incombe dorénavant. [...]

C'est d'abord par notre compétence et notre expertise que se bâtit la relation de confiance avec nos membres et nos clients. La confiance s'appuie aussi sur notre solidité et notre crédibilité financières, bâties au fil des ans. La confiance de nos membres dépend également de celle que nous avons les uns envers les autres, comme dirigeants, gestionnaires et employés.

La confiance ne s'achète pas : elle se gagne tous les jours par notre capacité d'aligner nos actes à nos paroles et à nos promesses. Chacun d'entre nous a donc l'obligation de renforcer cette confiance indispensable à notre avenir. »

Pour moi, ces mots avaient et ont toujours une grande signification. Ils m'ont portée tout au long de mon premier mandat et jusqu'à aujourd'hui. Toute organisation, tout système financier, toute économie, toute société, doit reposer sur la confiance. Sans ce sentiment partagé, basé sur l'intégrité et la rigueur, un système, une organisation ou la société ne peuvent pas fonctionner.

C'est seulement dans la confiance que l'on peut trouver l'agilité et la robustesse nécessaires pour assurer la pérennité d'une entreprise. C'est d'autant plus vrai dans le cas d'un groupe coopératif comme Desjardins.

Je savais que, pour bâtir cette confiance avec l'ensemble des employés et des dirigeants du Mouvement, il faudrait du temps, de la cohérence et, surtout, un travail constant avec les gens de Desjardins. Et beaucoup de communication.

Dans les semaines qui ont suivi mon arrivée, ma conviction a été rudement mise à l'épreuve. Un incident grave est survenu. J'ai eu à gérer une situation très délicate de signalement à la Caisse centrale, qui a mené à des départs. Ce n'était pas le genre de dossier avec lequel je souhaitais débuter. J'avais l'impression de passer un dur test de gestion et de gouvernance.

Mais il y eut plus dur encore. Durant l'été, à travers mes lectures et discussions avec des intervenants des marchés, j'ai commencé à craindre sérieusement les risques de crise. J'ai réuni nos équipes de placements, de trésorerie et de finances et, après analyse, nous avons décidé de créer un comité d'urgence pour faire face à la crise qui émergea finalement en septembre 2008. Raymond Laurin, que j'avais nommé aux finances, et Marc Laplante, qui était en quelque sorte mon bras droit, Louis-Daniel Gauvin, Jacques Descôteaux et moi, nous nous rencontrions tous les jours. Avec une équipe de spécialistes en placements, nous avons pris une série de décisions visant à réduire le plus vite possible nos risques quant au bilan du Mouvement pour nous mettre à l'abri.

Crise mondiale

La tempête a frappé durant la semaine du 14 septembre. Notre comité d'urgence est devenu une véritable *war room*. Nous nous réunissions désormais de deux à trois fois par jour et essayions, depuis mon bureau, de parer au pire. Je me disais : « Cela n'a pas de sens, on ne peut pas gérer un réseau comme Desjardins de cette manière ! » Au cours de cette période intense — je l'avoue, le sommeil était bien difficile à trouver, et je travaillais plus de 80 heures par semaine —, j'ai beaucoup réfléchi à la solidité que nous devions acquérir pour la suite des choses chez Desjardins. Cela allait devenir l'une de mes priorités.

De nombreuses discussions eurent lieu avec la ministre des Finances québécoise, madame Jérôme-Forget, le ministre des Finances fédéral, feu Jim Flaherty, et Mark Carney de la Banque du Canada, afin de développer des mécanismes et que le Mouvement Desjardins puisse, comme les grandes banques canadiennes, faire appel à la Banque du Canada en cas d'urgence. Ce fut toute une expérience que celle que nous avons vécue au cours de cet inoubliable automne de 2008 ! Ces échanges ont permis de résoudre des enjeux d'importance. En parallèle se réglait aussi la crise du papier commercial avec la Caisse de dépôt et placement du Québec et

la Banque Nationale. En toile de fond : des impacts pour
nos membres, nos clients et toute l'économie québécoise
si nous n'arrivions pas à stabiliser la situation. J'ai senti
beaucoup de pression de faire les bonnes analyses et de
recommander aux instances les actions à prendre. Pour
une première année en tant que présidente, j'ai eu droit
à tout un baptême du feu !

Il a fallu, en parallèle, continuer de motiver les troupes
pour garder le cap et maintenir la confiance en l'organisation et en son avenir. Pour moi, c'est là une fonction
essentielle de tout président d'entreprise.

Afin d'avoir une meilleure perspective de la situation
et de m'armer pour le combat, j'ai puisé dans l'histoire
du Mouvement. J'ai compris que ce nouveau revers de
l'économie devait stimuler l'entraide et la solidarité au
sein du réseau. Le Mouvement en avait vu bien d'autres
au cours de son histoire.

Il y avait d'abord eu la crise des années trente. Ensuite,
la Deuxième Guerre mondiale. À partir des années
cinquante, le Québec s'était mis à évoluer dans un
contexte de prospérité. Mais la conjoncture économique
demeurait incertaine, comme en témoignent les nombreuses minirécessions survenues entre 1950 et 1960.
La croissance de l'actif des caisses avait à cette époque
nettement ralenti.

C'est à partir de 1962 que l'économie québécoise avait retrouvé sa vigueur, grâce aux dépenses du gouvernement en santé et en éducation, et à la réalisation de grands projets, comme les barrages hydroélectriques, le métro de Montréal et Expo 67. La croissance économique s'était poursuivie au cours des années soixante-dix, mais dans un contexte de forte inflation. Par ailleurs, le choc pétrolier de 1973 avait provoqué une récession en 1974 et un ralentissement de la croissance dans la seconde moitié de la décennie. Ce ralentissement, accompagné d'une poussée inflationniste et d'une hausse du chômage, avait été qualifié de « stagflation ».

Fait intéressant, c'était entre autres la prise en considération de ce contexte économique et de l'endettement croissant de la population qui avait conduit la direction de Desjardins à renoncer à offrir la carte de crédit en 1975, décision sur laquelle elle ne reviendrait que six ans plus tard. Oui, l'immense choc économique que nous ressentions pouvait inciter le Mouvement à se comporter de façon exemplaire et à faire des choix responsables, visant le long terme. J'ai longuement discuté avec mes collègues du conseil d'administration afin d'obtenir leur avis et leurs conseils pour la suite des choses, et ce, tout en maintenant mes réunions journalières avec certains collègues de la direction.

C'est ainsi que nous avons décidé de faire une grande tournée sur la question de la crise financière durant l'automne 2008. Nous souhaitions expliquer la conjoncture financière qui affectait nos résultats et le bilan de Desjardins, tout en demandant à nos délégués la confidentialité totale sur nos discussions, vu les informations détaillées que nous leur présentions. Je ne leur cachai pas que nous allions traverser une période très dure; nous devrions absorber sous forme de provisions des pertes de valeur dépassant le milliard de dollars. Je leur annonçai par la même occasion que nous entendions mettre de côté nos profits annuels résiduels et modifier nos normes de mise en réserve afin d'accroître notre capacité à renforcer notre capital. Il était essentiel pour moi, en ce début de mandat qui coïncidait avec la pire crise financière depuis les années trente, de travailler en complète transparence avec nos dirigeants élus pour permettre à tous de comprendre les défis du moment, et pour prendre ensemble les meilleures décisions.

Et, au même moment, au début d'octobre 2008, j'ai décidé de créer 12 équipes de travail dans le réseau des caisses et des filiales pour réfléchir à nos stratégies futures. Cent quatre-vingts personnes, dont une majorité venait des caisses, ont été mises à contribution. Je ne voulais pas que nous nous enlisions dans la conjoncture et que nous nous contentions d'être en mode réaction et gestion de crise. Je me disais: «Un jour, la crise va s'arrêter et, ce jour-là, il faudra que l'on sache ce que l'on veut faire.» En accord avec le conseil, nous avions organisé une assemblée des représentants le mois précédent, pour demander aux élus de se projeter dans l'avenir à partir de 10 questions fondamentales. Cette assemblée s'était très bien déroulée. Je me rappelle que nous avons pris une superbe photo au Centre des congrès de Lévis, sous l'œil bienveillant d'Alphonse Desjardins.

C'est ainsi que nous avons commencé à enrichir le «plan d'évolution» lancé dans les 100 jours suivant mon élection. Il comprenait cinq chantiers : la croissance et le développement stratégique du Mouvement ; la concertation, la participation et la liaison avec le réseau ; l'évolution du rôle de la Fédération ; l'optimisation de la performance de la Fédération et des filiales ; et, enfin, la mobilisation du capital humain de Desjardins avec comme fondation notre mission et nos valeurs de coopération. Ces chantiers étaient en lien avec les cinq convictions que j'avais formulées pendant ma campagne à la présidence.

Par ailleurs, bien vite, il m'a semblé essentiel, malgré l'élection, de mettre en œuvre des processus d'alignement et d'échanges avec les gestionnaires pour «institutionnaliser» et structurer le plan d'évolution pour qu'il devienne notre plan stratégique.

Pour quelques collègues de la direction et moi-même, cela s'est soldé par de nombreuses rencontres, discussions et communications. Car, je l'admets, au début, je ne savais pas comment préparer et organiser tous ces chantiers dans une organisation aussi vaste que Desjardins. J'ai donc d'abord procédé par essais, avec un succès variable. Mais, pour moi, la priorité demeurait claire : pouvoir travailler en collégialité dans la mesure du possible et avancer.

C'est ainsi que le plan d'évolution, avec ses cinq chantiers, le congrès de 2009 et, par la suite, le plan stratégique 2010-2012 de Desjardins, a été façonné : avec de nombreux collaborateurs et dirigeants, de façon à assurer l'adhésion et l'alignement de l'ensemble de l'organisation. Il s'agissait d'un défi important de gestion de changement et de communication.

Malgré la tourmente, j'ai reçu un appui important du réseau durant cette période très agitée. Je m'en souviendrai toujours. Je remercie tous nos dirigeants et gestionnaires de leur confiance.

En mars 2009, au moment où nous avons annoncé nos résultats pour l'année 2008, toute l'équipe de Desjardins connaissait les enjeux auxquels nous étions confrontés en raison de la crise. Voici un extrait de mon discours à l'assemblée générale annuelle de 2009 :

> « La crise financière mondiale que nous vivons est, fondamentalement, une crise de confiance, et elle nous ramène à l'essentiel de notre métier et de nos valeurs.
>
> La confiance est devenue un enjeu planétaire. De l'éclatement de la bulle immobilière aux États-Unis jusqu'à la récession en cours dans

les principales économies de la planète, nous assistons à la détérioration généralisée de la confiance des investisseurs et des consommateurs envers le fonctionnement des marchés et de l'économie. La reprise dépendra à coup sûr de notre capacité à la reconstruire, tant à l'échelle de nos économies nationales qu'à l'échelle internationale.

[...] L'environnement financier et économique demeure toujours incertain. Il est aussi difficile de prévoir la durée et la profondeur de la crise financière mondiale. Une chose est claire, le monde financier a changé. Il a changé profondément. D'une certaine manière, le crédit "excessif", à la base d'une croissance que certains ont qualifiée d'insoutenable, est révolu... du moins pour un certain temps.

Cela nous oblige tous, individus et entreprises, à voir les choses différemment, à mieux identifier les risques et surtout à être rigoureux et à faire preuve de résilience, c'est-à-dire savoir rebondir, peu importe les circonstances. L'incertitude ambiante est à la fois un défi et une occasion. C'est pour moi, et pour nous, une occasion qui doit se concrétiser dans le changement et l'évolution de nos façons de faire les choses, et dans nos attitudes. »

Le choc a été cent fois moins brutal chez Desjardins qu'ailleurs, mais nous avons eu à travailler dans l'urgence, presque sept jours sur sept, de septembre 2008 à mars 2009. Nous avons paré au pire et pouvions, dès lors, envisager l'avenir du Mouvement avec confiance, aux côtés de nos membres et de nos clients. Les marchés ont commencé à se stabiliser. Nous pouvions respirer. Quelle première année cela a été !

Accentuato

{ En accélérant, accentué

Les napperons

C'est seulement après l'assemblée générale de mars 2009 que j'ai pu reprendre mon souffle et réaliser pleinement que j'étais devenue présidente du Mouvement Desjardins. J'avais alors une petite équipe qui s'occupait de mon bureau. Je sais maintenant combien ces personnes jouent un rôle important pour le président en poste, et j'en profite pour saluer le remarquable travail de gens que j'ai appréciés et qui m'ont accompagnée à divers moments au cours de mon mandat, tels que Danielle Morin, Sylvie Pelletier et Julie Picard, ainsi que des gestionnaires comme Louise-Marie Brousseau, dont la collaboration fut si précieuse pour tout mettre en place au départ et par la suite, Marie-Huguette Cormier, Suzanne Gendron et Éliane O'Shaughnessy. Je pense aussi à Pauline D'Amboise, secrétaire générale du Mouvement, et aux membres de son équipe, dont Sylvie Boucher, de même qu'à l'escouade des communications, avec André Chapleau, dont les conseils étaient essentiels dans les dossiers les plus délicats, ainsi qu'André Forgues, Robert Marquis, Jean-François Collin et François Renaud. La présidence du Mouvement est également aidée d'un chauffeur, qui assure sa sécurité. J'ai donc cessé de conduire, moi qui n'avais eu ma première automobile qu'à 30 ans. Il a fallu que j'intègre à ma routine des règles de protection, dont certaines concernaient ma fille et mon conjoint. Greg Newsome a su prendre cette responsabilité avec une douce et compétente fermeté. Toutes ces personnes m'ont donné une assistance primordiale. Je les remercie.

La présidence du Mouvement impose quelques ajustements, non pas qu'il faille s'en plaindre, mais c'est une réalité : on doit apprendre à se comporter en fonction de son nouveau rôle, tout en continuant de respecter ses propres valeurs.

Cet apprentissage, en définitive stimulant et agréable, fut couplé à une autre initiation : être à la présidence de Desjardins constitue un travail de communication continu. Là encore plus qu'ailleurs, le président est un porte-parole universel. À ce chapitre, le fonctionnement démocratique du Mouvement impose une discipline d'enfer. Tout dire, toute déclaration, à l'interne comme à l'externe, est scruté. Il faut trouver les bons mots et savoir les adapter selon les circonstances et le public.

Bien qu'il m'ait fallu maîtriser de façon plus pointue que jamais les rouages des médias, j'étais déjà aguerrie en ce qui a trait aux allocutions et à la communication externe. Mes fonctions passées et mon implication dans la communauté m'avaient permis de m'y préparer. J'avais notamment appris qu'il peut s'avérer vital de garder une réserve prudente, à la façon des politiciens. Mais je ne l'avais jamais vécu de la sorte.

En outre, c'est en interne que le travail de communication est le plus important, chez Desjardins. D'une certaine manière, j'y ai pris plaisir, car communiquer, c'est
aussi aller vers les gens et les écouter. Je me suis directement impliquée dans la communication des grands
dossiers. Je m'intéressais aux scénarios des événements
en préparation — les rencontres internes, les assemblées
des représentants et l'assemblée générale, par exemple.
Même si certains de ces rendez-vous ont été exigeants
et ont suscité de vives discussions, je les ai toujours
appréciés : les murmures au moment des pauses, les rires
qui fusent de temps en temps, l'éclairage un peu tamisé.
Car les rencontres avec les gens de Desjardins, surtout,
ont toujours été pour moi une source d'inspiration. J'ai
voulu que ces périodes d'échanges soient nombreuses et
les plus signifiantes possibles. Sur le plan plus anecdo-
tique, j'ai toujours accordé une certaine importance à
l'animation et à la musique, qui créent un état d'esprit
propice aux échanges, en particulier lors de ce genre
d'événements rassembleurs. Je crois profondément que
l'on peut inspirer toute une foule en choisissant bien la
musique, car celle-ci crée toujours des émotions.

Au sein de mon équipe, cette préoccupation musicale
que j'avais est devenue une occasion de me taquiner.
Au moment de préparer un congrès, une assemblée
générale annuelle ou une rencontre, mes collaborateurs
me disaient avec un clin d'œil avant même que j'ouvre
la bouche : « Monique, voici la musique à laquelle nous
avons pensé pour l'ouverture. Qu'en dis-tu ? »

Un jour, Alain Fradin, le directeur général du Crédit Mutuel de France, à qui nous avions demandé de faire une présentation importante dans le cadre d'un Rendez-vous des présidents des caisses, nous a fait parvenir, la veille de l'événement, une petite vidéo servant de support à son allocution : non seulement sa bande-son était de piètre qualité, mais elle comportait une chanson en anglais. Entendant cela, un membre de mon équipe est entré dans mon bureau en courant : «Madame Leroux, il y a un problème avec la présentation de monsieur Fradin !»

Le lendemain, Alain m'a demandé : «Monique, j'ai entendu dire qu'il y aurait un problème technique avec ma vidéo ?» Je lui ai répondu : «Alain, le problème n'est pas seulement technique, il a des chances d'être politique ou à tout le moins diplomatique !» Après discussion, il a compris le côté délicat d'utiliser une chanson en anglais au Québec lors d'une présentation du Crédit Mutuel ! Il a su expliquer la situation avec beaucoup d'humour à l'ensemble de nos délégués. Ce moment est resté dans la liste des anecdotes que nous partageons avec nos amis du Crédit Mutuel.

En matière d'outils de communication de gestion, j'ai aussi commencé à fabriquer ce que nous avons appelé «des napperons». Souvent, pour illustrer ma pensée, je prends un bout de papier sur lequel je dessine des flèches, des traits, des carrés et des cercles, dans lesquels j'écris des mots. Ce sont des schémas qui résument le sujet abordé ou un projet en particulier. Dans tout message, comme dans tout dossier, il y a des éléments clés qu'il faut assimiler et retenir : c'est le but du napperon !

En somme, il s'agissait, ni plus ni moins, de résumés schématisés de stratégies ou de plans d'action devant être communiqués au plus grand nombre et que je faisais imprimer sur des feuilles de format semblable à celui des napperons de restaurant, plutôt que de distribuer de longs discours. Je m'en suis servie tant de fois qu'ils sont devenus partie intégrante de ma marque de commerce !

La technique fonctionne également très bien sur tablette électronique, et elle a d'ailleurs été reprise par la suite par plusieurs collaborateurs chez Desjardins.

Cette habitude, comme celle de tout noter dans des cahiers à spirales que je garde dans les tiroirs de mon bureau, m'a permis de camper un style de communication qui, je crois, a été plutôt apprécié tout au long de mes huit années de présidence.

Cela dit, j'ai appris un peu tard la puissance de l'histoire : être capable d'illustrer sa pensée par une histoire permet de mieux capter l'attention de son auditoire et de rendre plus clair son message. Enfin, je sais maintenant aussi que parler avec son cœur permet de mobiliser les gens qui nous écoutent. Même à la présidence, il faut continuer d'apprendre et de s'améliorer !

Un exemple de napperon recto-verso ; celui-ci résumait le cheminement vers notre congrès de 2009.

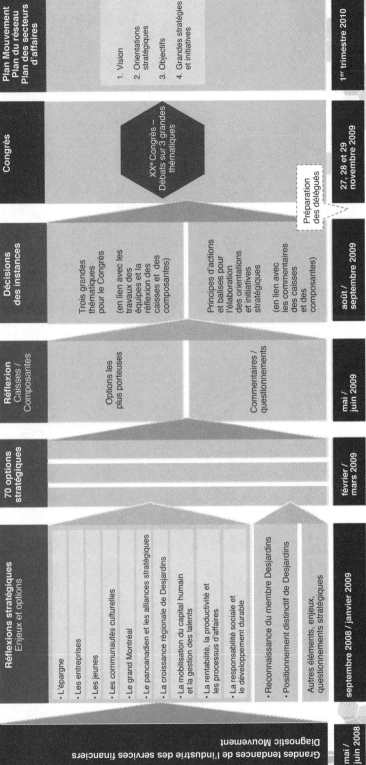

Étapes menant au Congrès et à l'élaboration de la PS 2010-2012

Plusieurs intrants influencent le Plan stratégique Mouvement 2010-2012

COOPÉRER POUR CRÉER L'AVENIR

20e CONGRÈS 2009

Desjardins

Réflexions stratégiques
Enjeux et options

- L'épargne
- Les entreprises
- Les jeunes
- Les communautés culturelles
- Le grand Montréal
- Le pancanadien et les alliances stratégiques
- La croissance régionale de Desjardins
- La mobilisation du capital humain et la gestion des talents
- La rentabilité, la productivité et les processus d'affaires
- La responsabilité sociale et le développement durable
- Reconnaissance du membre Desjardins
- Positionnement distinctif de Desjardins
- Autres éléments, enjeux, questionnements stratégiques

septembre 2008 / janvier 2009

70 options stratégiques

février / mars 2009

Réflexion
Caisses / Composantes

Options les plus porteuses

Commentaires / questionnements

mai / juin 2009

Décisions des instances

Trois grandes thématiques pour le Congrès

(en lien avec les travaux des équipes et la réflexion des caisses et des composantes)

Principes d'actions et balises pour l'élaboration des orientations et initiatives stratégiques

(en lien avec les commentaires des caisses et des composantes)

août / septembre 2009

Congrès

XXᵉ Congrès – Débats sur 3 grandes thématiques

Préparation des délégués

27, 28 et 29 novembre 2009

Plan Mouvement
Plan du réseau
Plan des secteurs d'affaires

1. Vision
2. Orientations stratégiques
3. Objectifs
4. Grandes stratégies et initiatives

1er trimestre 2010

Grandes tendances de l'industrie des services financiers

Diagnostic Mouvement

mai / juin 2008

COOPÉRER POUR CRÉER L'AVENIR
20e CONGRÈS 2009

DESJARDINS. LEADER DANS UN MONDE EN MOUVEMENT
Desjardins

Préparation des délégués

Étape 1

19 SEPTEMBRE
ASSEMBLÉE DES REPRÉSENTANTS

FORMULE
Rencontre physique de l'Assemblée des représentants

OBJECTIFS
- Prendre connaissance des résultats de la réflexion des caisses
- Présenter les thèmes du Congrès

PUBLIC
Représentants

CONTENU
a) Diagnostic
b) Faits saillants de la réflexion stratégique
c) Thématiques du Congrès
d) Rôle du représentant dans la préparation des délégués

Étape 2

2 NOVEMBRE
RENCONTRES RÉGIONALES AVEC CONFÉRENCE WEB DE LA PRÉSIDENTE

FORMULE
Une rencontre par région débutant par une conférence Web vidéo de la Présidente

OBJECTIFS
- Faire le passage entre la réflexion stratégique et le Congrès
- Situer les grands thèmes du Congrès
- Présenter le cahier du Congrès
- Se préparer à la réflexion locale

PUBLIC
Membres des conseils des représentants, présidents, directeurs généraux et délégués de chaque caisse

CONTENU
a) Faits saillants de la réflexion stratégique Mouvement et régionale
b) Thématiques du Congrès
c) Cahier du Congrès

Étape 3

NOVEMBRE
RÉFLEXION LOCALE

FORMULE
Une rencontre par caisse (prise en charge par le CA)

OBJECTIFS
- S'approprier le cahier du Congrès
- Consulter les dirigeants de la caisse sur les thèmes du Congrès

PUBLIC
Tous les dirigeants de la caisse appuyés des gestionnaires

CONTENU
a) Cahier du Congrès

CONGRÈS
27, 28, 29 novembre 2009

LE PROCESSUS EST ASSURÉ PAR UN LEADERSHIP PARTAGÉ ENTRE LES MEMBRES DES CONSEILS DES REPRÉSENTANTS ET LES DÉLÉGUÉS

La structure coopérative formée par les principales composantes du Mouvement Desjardins.

STRUCTURE COOPÉRATIVE

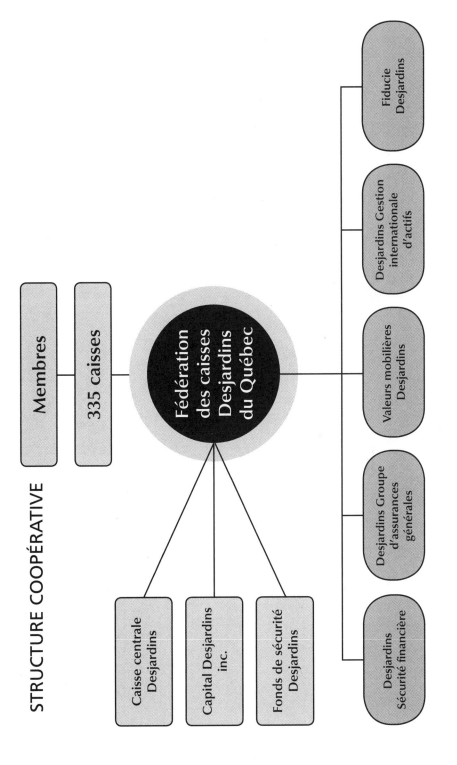

La structure démocratique et de gestion du Mouvement Desjardins, au sommet de laquelle se trouvent les membres.

ORGANIGRAMME DU MOUVEMENT

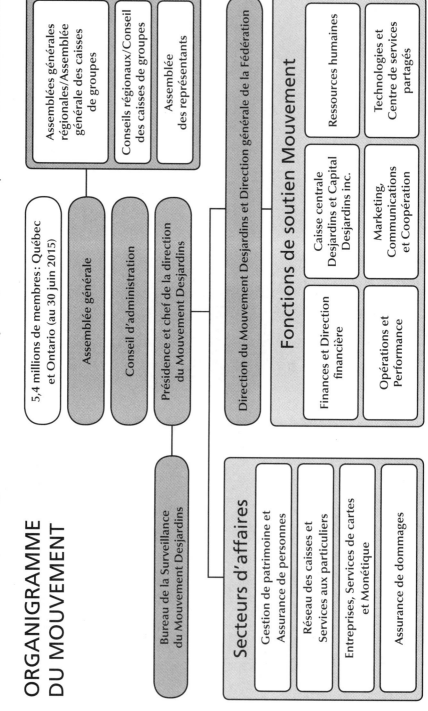

5,4 millions de membres: Québec et Ontario (au 30 juin 2015)

Assemblée générale

Conseil d'administration

Présidence et chef de la direction du Mouvement Desjardins

Bureau de la Surveillance du Mouvement Desjardins

Assemblées générales régionales/Assemblée générale des caisses de groupes

Conseils régionaux/Conseil des caisses de groupes

Assemblée des représentants

Direction du Mouvement Desjardins et Direction générale de la Fédération

Fonctions de soutien Mouvement

Finances et Direction financière

Opérations et Performance

Caisse centrale Desjardins et Capital Desjardins inc.

Marketing, Communications et Coopération

Ressources humaines

Technologies et Centre de services partagés

Secteurs d'affaires

Gestion de patrimoine et Assurance de personnes

Réseau des caisses et Services aux particuliers

Entreprises, Services de cartes et Monétique

Assurance de dommages

L'organisation évolutive

En mai 2009, après plusieurs mois de travail, nous avons annoncé une réorganisation sur laquelle j'avais travaillé avec deux collègues de haut niveau, Marc Laplante et Jacques Dignard. Nous avions également eu de nombreux échanges avec le conseil d'administration. À l'annonce de changements qui visaient la mise en place éventuelle d'un seul comité de direction du Mouvement et une simplification des structures de gestion à la Fédération, certains ont assurément pensé : «Nouvelle présidente, nouvelle structure; plus ça change, plus c'est pareil.»

Or, durant la période électorale, j'avais annoncé un Mouvement plus près de ses caisses et des caisses plus près de leurs membres. J'avais aussi insisté sur la force du capital humain et de nos valeurs. J'étais convaincue que ces changements étaient indispensables à notre développement. Il me fallait passer de la parole aux actes.

La nouvelle structure comprenait trois grands blocs, dont un qui en était le cœur : le soutien aux caisses. Les deux autres touchaient les secteurs d'affaires et les fonctions de soutien. Désormais, il n'y aurait qu'un comité de direction plutôt que deux, et nous effectuerions une réduction importante du nombre de gestionnaires de premier et de deuxième niveau. Nous allions par ailleurs renforcer la relation avec le réseau des caisses grâce à deux postes d'importance, soit le soutien aux instances démocratiques et le soutien opérationnel des caisses.

Ces changements allaient permettre de soutenir la réalisation du plan d'évolution et visaient une amélioration de la performance financière de la Fédération et des filiales, ainsi que le rapprochement de la Fédération avec les caisses. Nous avions évalué qu'il était possible d'engendrer des gains de productivité récurrents de l'ordre de 150 M\$ annuels en dotant le Mouvement d'un meilleur alignement stratégique et opérationnel. Ces gains se feraient principalement au chapitre de la technologie et des processus d'affaires. D'ailleurs, c'est à ce moment-là que j'ai invité Robert Ouellette à se joindre à l'équipe de direction pour prendre en charge le groupe technologies de Desjardins.

L'alignement de la Fédération et des filiales était complexe. Jusque-là, l'arborescence séparait d'un côté la Fédération et son comité de direction; de l'autre se trouvaient les filiales, qui siégeaient à un autre comité de direction stratégique. Il nous fallait plus de cohésion entre les secteurs d'affaires et les fonctions de soutien. Avant la restructuration, la haute direction du Mouvement comptait 27 personnes. Dans le cas de dossiers urgents, notamment en 2008 et au début de 2009, il fallait réunir ces 27 personnes autour d'une même table pour régler une situation! C'est à cette complexité du processus de décision que je voulais m'attaquer.

À cette annonce, les gens ont compris qu'il fallait s'attendre à des réductions d'effectifs que nous estimions à 300 par année, pendant trois ans.

Faire ce genre de travail n'est jamais agréable, et on ne se fait pas beaucoup d'amis. Mais nous avons en particulier misé sur l'attrition pour mettre en œuvre ce plan de réorganisation. Et, sans prétendre afficher un score parfait, nous avons réussi à gagner en efficience, tout en respectant nos valeurs et les individus. De fait, les équipes ont livré les résultats attendus par cette réorganisation qui, à l'époque, a fait les manchettes à quelques reprises. Nous avions éliminé les doublons afin d'en arriver à une structure plus légère, plus simple, où la participation des caisses était sensiblement accrue. Plusieurs directeurs généraux de caisses ont été invités à occuper des postes de responsabilité à la Fédération ou avec les filiales. Le principe de base de cette réorganisation était que tous les secteurs d'affaires et les fonctions du Mouvement soient pleinement au service de Desjardins, des caisses ainsi que des membres et des clients. Nous construisions les bases d'une organisation prête à servir le membre Desjardins!

Pour ce qui est du rapprochement de la Fédération avec les membres et les clients, la nouvelle structure s'est appuyée sur leurs besoins et sur la demande du marché plutôt que sur des entités juridiques opérant en silos. Ce qui changeait, au fond, c'est que nous placions nos membres au cœur de la structure au lieu de favoriser l'organisation interne elle-même. Or, je souhaitais que nos entités juridiques continuent d'exister, mais que leurs activités s'inscrivent dans une stratégie opération-nelle globale, cohérente avec le Mouvement, au bénéfice des membres et des clients.

Bref, les instances de l'organisation, soit le conseil d'administration de la Fédération et le comité de direction, travailleraient à la force et à la cohésion du groupe en renforçant le travail d'équipe et les valeurs coopératives. C'était là l'essentiel de la réorganisation de 2009. S'y ajoutait la simplification des vice-présidences. Par la suite, je n'ai pas souhaité revoir en profondeur la structure générale, mais j'ai laissé aux premiers vice-présidents le soin d'ajuster leurs propres structures avec des principes communs. Bien sûr, quelques collaborateurs présents lors de la mise en place du comité de direction du Mouvement ont pris leur retraite au fil du temps — je pense aux Bruno Morin, Raymond Laurin, Jacques Dignard, Marc Laplante et Serge Cloutier —, mais j'ai essentiellement gardé la même structure, tout en préparant la relève.

L'incontournable diversité

Au moment de nommer les membres du comité de direction de Desjardins, nous avons réalisé plusieurs entrevues avant d'arrêter nos choix. Nous voulions que les candidats choisis comprennent le plan d'évolution, qu'ils y croient et en partagent les objectifs. Ces gestionnaires devraient faire preuve d'ouverture et de transparence. Nous cherchions donc des gens prêts à coiffer le chapeau du Mouvement : des gens d'équipe qui ont un profond respect des valeurs coopératives ainsi que des caisses et de leurs dirigeants. J'ai fait toutes les entrevues en compagnie de Denis Paré, vice-président du conseil d'administration, de Suzanne Maisonneuve-Benoit, dirigeante de caisse et administratrice de Desjardins Sécurité financière, et de Jacques Dignard, premier vice-président Ressources humaines.

Nous avons mis en application un autre principe de gestion qui me semblait essentiel : l'importance de la diversité. Je tenais à ce que le comité de direction du Mouvement ainsi que le Groupe de coordination, composé de nos 125 principaux vice-présidents, représentent la diversité de notre organisation.

Pour ce faire, nous avons réuni un bassin de gestionnaires fait de jeunes cadres et d'autres plus expérimentés, d'hommes et de femmes, en provenance des villes ou des régions, certains promus de l'interne, d'autres venus de l'externe, et représentant différentes communautés. Cette hétérogénéité est primordiale pour composer une équipe forte. En cette matière, nous avons dû être un peu interventionnistes pour nous assurer d'avoir un large bassin de candidatures. La diversité ne s'impose pas d'elle-même.

À la suite de tout ce travail pour gérer la crise financière, préparer le plan d'évolution, mettre en place le comité de direction unifié et nommer des premiers vice-présidents et leurs équipes, j'ai senti que nous nous étions donné une énergie nouvelle, que nous avions créé des conditions pour passer à la vitesse grand V. D'ailleurs, c'est à ce moment que Guy Cormier est devenu vice-président Finances du réseau des caisses, alors que Sylvie Paquette et Marie-Huguette Cormier ont accru leurs responsabilités.

En janvier 2010, *La Revue Desjardins*, fondée en 1935, publiait un numéro entièrement consacré à la nouvelle structure. Nous y présentions nommément, photos à l'appui, plusieurs centaines de gestionnaires (dont près du tiers étaient des femmes) qui composeraient l'équipe de direction du Mouvement. Un véritable tour de force sur le plan de la communication! Pour moi, il s'agissait d'une excellente façon de faire une différence en matière de changement organisationnel: Desjardins, ce sont des êtres humains différents, mais qui partagent des valeurs. C'est bien plus important qu'un organigramme!

Avec les membres de cette équipe extraordinaire, j'ai commencé à dessiner ce que j'ai appelé « mon profil en *T* entouré d'un cercle vert » et j'ai pu réaliser mon mandat de huit ans à la présidence. Je les remercie tous et toutes de leur appui, de leur travail et de leur engagement.

Le « T » et le cercle vert

Le « T » était pour moi et pour toute l'équipe de direction une façon de résumer et de faire comprendre nos attentes à nos gestionnaires. Sa ligne verticale représentait les compétences que tout gestionnaire doit posséder dans son secteur d'expertise. Cette verticale de compétences est ce que l'on apporte à l'équipe, notre contribution spécifique: finance, actuariat, ressources humaines, marketing, technologie… La barre horizontale, pour sa part, représentait la dimension « macro », stratégique et multisectorielle, tout aussi importante. Elle désignait la capacité de comprendre les conséquences de ses gestes pour l'organisation, de travailler avec une vision stratégique transversale et matricielle allant au-delà des silos verticaux. C'est ainsi que les clients souhaitent faire des affaires avec nous. Ils ne s'intéressent pas aux structures internes ; ils s'attendent à ce que le gestionnaire prenne en charge un problème du début à la fin. Quant au cercle vert autour du « T », il symbolisait le fonctionnement essentiel de l'équipe ainsi que les valeurs coopératives, qui doivent embrasser toute notre action. La force « verte » du Mouvement y réside.

Je ne sais pas à combien de reprises j'ai fait ce graphique en présence de gestionnaires. Chaque fois, ce petit « T » bien encerclé suscitait des questions, et je sentais que mes réponses rejoignaient les préoccupations de plusieurs. Et puis, il était facile de se souvenir de cette image simple ! Un jour, les gens du Crédit Mutuel, qui s'intéressaient à notre plan d'évolution et à la réorganisation de nos structures, nous ont demandé d'aller à l'un de leurs rendez-vous annuels importants pour parler de ce que nous étions en train de faire chez Desjardins.

Nous avons formé une petite délégation faite de membres du conseil et de la direction. Nous nous sommes retrouvés devant un parterre de gestionnaires de haut niveau. Mais… la présentation que nous avions préparée était un peu dense et technique, particulièrement en ce qui concernait la simplification de nos structures et la réorganisation. Voyant la réaction un peu sérieuse de nos hôtes, j'ai eu une idée. Dans la première rangée se trouvait Alain Fradin, directeur général du Crédit Mutuel. Alain, qui est devenu un ami, a la réputation d'être un homme d'avant-garde à plusieurs égards. Toujours organisé, technologiquement très habile, il est d'une rigueur et d'une compétence reconnues par tous. Ce jour-là, il avait en main son portable, duquel il pouvait transmettre de l'information pour toute la salle sur l'écran géant.

Je lui ai donc demandé de monter sur scène avec son portable. Il ne savait pas du tout où je m'en allais ! Il faut dire que, lui et moi, nous ne nous connaissions pas encore beaucoup. Pendant ce temps, Michel Lucas, président du Crédit Mutuel — qui me connaissait beaucoup plus —, souriait, amusé de la tournure des événements.

J'ai d'abord demandé à Alain de tirer un trait vertical sur son écran, puis de tracer une ligne horizontale afin de former un « T ». Dans la salle, les gens étaient perplexes ; ils connaissaient les capacités techniques d'Alain et demeuraient silencieux devant cet effort de simplicité reproduit sur grand écran. Ensuite, je lui ai demandé de faire un cercle autour du « T », en spécifiant qu'il devait être vert, ce qui entraîna certains murmures dans la salle. J'ai brièvement expliqué le sens de ces trois traits. À la fin de l'exercice, j'ai conclu : « Voilà. C'est le résumé de ce que nous sommes venus vous dire aujourd'hui. » Et la salle de s'esclaffer et d'applaudir. La glace était rompue. Le courant avait passé !

L'apprentissage du *leadership*

J'apprenais à mobiliser mes équipes par la communication et l'écoute. Être un *leader*, ce n'est pas gérer des processus ; c'est d'abord une aventure humaine. C'est être la source d'un supplément d'âme, d'émotion, et l'insuffler au plus grand nombre afin de lui donner le goût de créer, de défoncer les barrières, d'atteindre les objectifs en se dépassant. Par la confiance — dont j'ai déjà parlé — et par le facteur humain se développe la plus belle forme de *leadership*, celle qui rend possibles les projets ambitieux. Ainsi, on profite du meilleur de soi-même et de ceux qui nous entourent pour réaliser un but commun : on génère de l'énergie positive au service d'une cause, d'un projet, d'une entreprise, de la société. Pour le *leader* aussi, il s'agit là d'un engagement personnel et émotionnel véritable, qui va au-delà du management. Le *leadership* génère un engagement et rallie le cœur et la tête des gens.

Le *leader*, par son rôle, est amené à remettre en question l'ordre établi, à ouvrir de nouvelles avenues et à prendre des risques. J'ai toujours essayé de laisser s'exprimer le talent, d'instaurer des conditions favorables pour que l'organisation et ceux et celles qui la composent se développent, réussissent et nous dépassent. Un *leader*, c'est un jardinier qui permet aux semences de pousser, puis aux fleurs de toutes les couleurs de prendre leur place, en harmonie, dans un jardin qui grandit d'année en année, au rythme des saisons. Il ne faut rien forcer. Je n'ai jamais toléré que, pour l'avancement d'une idée, on méprise les valeurs fondamentales du Mouvement ou des personnes. Ce qu'il faut viser, c'est une énergie positive et créatrice. Une fois qu'elle s'est déployée, il est possible de se risquer au-delà de nos zones de confort. Elle est ressentie partout dans l'organisation, jusqu'aux clients : pour moi, il y a une corrélation parfaite entre des employés engagés et passionnés et des membres et clients satisfaits. Les uns ne vont pas sans les autres !

Le *leadership* s'exprime dans de petits et de grands gestes, souvent à travers la communication. Dès mon arrivée à la présidence, j'ai donné mon adresse courriel à tous afin que, partout à travers le Mouvement, on puisse me contacter — je reçois de nombreux messages chaque mois, et, au fil du temps, cela m'a permis d'être informée de bons coups, de problèmes et de commentaires de toutes natures. C'est aussi au tout début de mon premier mandat que j'ai voulu organiser des rencontres fréquentes avec des dirigeants, des gestionnaires et des employés, ce qui m'a permis de mieux comprendre en continu nos enjeux et les possibilités d'amélioration. Ces rencontres ont pris des formes multiples, dont plusieurs tours de table très animés !

Plus j'avançais, plus je me rendais compte de l'importance du facteur humain : faire vivre la coopération dans un groupe comme Desjardins implique des échanges constants, une communication continue. Les rencontres n'ont cessé de se multiplier : forums des directeurs généraux, rendez-vous des présidents et des directeurs généraux, rencontres des représentants, congrès, tournées régionales, visites des caisses ou des centres d'appels... Toutes ces activités me permettaient d'expliquer et de clarifier nos objectifs, d'écouter les gens, de mesurer les progrès et les difficultés de l'ensemble de l'organisation, puis d'en discuter avec l'équipe de direction ainsi qu'avec les dirigeants des conseils du Mouvement et des filiales.

Malgré la lourdeur que cette démarche peut induire, j'ai acquis la conviction profonde qu'on ne peut s'afficher comme groupe coopératif et prêcher la coopération sans la pratiquer soi-même, à l'interne. Pour moi, il était clair que le Mouvement Desjardins était à la fois une association de personnes et un groupe financier avec de solides valeurs et pratiques coopératives. C'est ce qui fait sa différence, que j'allais m'employer à cultiver, comme d'autres l'avaient fait avant moi, mais à ma manière. Il me semblait important de propager un message clair et puissant.

Avec Marie-Huguette Cormier, et profitant des conseils de Sylvain Labarre, de lg2, nous avons réfléchi pour donner à Desjardins un thème qui énonce très clairement ce que nous sommes. « Coopérer pour créer l'avenir » nous est venu spontanément. Nous avons décidé de l'utiliser à l'interne et à l'externe. Et nos filiales, pour une première fois, se sont engagées avec un certain enthousiasme dans ce message de coopération tourné vers le futur. Le message était fort et sans équivoque quant à notre ADN coopératif. J'en étais fière.

Apprendre, toujours et encore

J'apprenais le métier de PDG. Je comprenais que, pour diriger, il faut être rassembleur, quelle que soit l'entreprise — familiale, personnelle, publique ou coopérative —, et être en phase avec les valeurs de l'organisation et les gens qui la constituent. C'est d'autant plus vrai dans une entreprise coopérative ; il ne peut y avoir de « dissonance ». En outre, plus on est haut placé, plus la cohérence de ses valeurs avec celles de l'organisation est importante. C'est ce qui permet d'être en harmonie avec soi-même et l'ensemble du personnel. Un peu à la manière d'un chef d'orchestre ou d'un chef de chœur.

Au chapitre des apprentissages, j'ai aussi découvert qu'il me fallait doser mon enthousiasme naturel. Je suis une personne qui a la faculté d'apporter énormément de nouvelles idées — et elles ne sont pas toutes bonnes, je m'empresse de le préciser ! Mais lorsqu'on est PDG et qu'on lance une suggestion, les gens prennent quelquefois cela pour une commande. En rétrospective, j'aurais pu d'abord modérer mon flot d'idées ou, à tout le moins, clarifier mes attentes à l'égard de ces idées. Aussi, comme j'ai un haut niveau d'énergie, cela me permet de travailler de longues heures sans m'arrêter. Avec le temps, à force d'observer mes collègues, j'ai constaté qu'il valait parfois mieux conclure une réunion en fin de journée et la reprendre plus tard, quand tous seraient reposés ! J'ai donc progressivement adapté ma personnalité et mes façons de faire à mon rôle et aux personnes qui m'entouraient et que j'aimais bien.

J'ai toujours essayé de travailler dans le respect des autres. Que l'on soit en accord ou en désaccord sur un sujet donné, peu importe le rang de l'un ou de l'autre, je n'accepte pas les attaques personnelles, parfois blessantes, ni la colère, ni le mépris. J'ai peu de tolérance pour les guerres de clochers, les disputes et les sautes d'humeur. Au cours de ma vie, j'ai vu trop de comités et de groupes dysfonctionnels, de gens qui ne disent pas un mot autour de la table de réunion et qui, une fois la porte fermée, déchirent leur chemise. Ou d'autres qui, par un comportement violent et brutal, paralysent une discussion en créant un contexte de peur et d'énergie négative. Tout cela démobilise les équipes ; au final, cela met à mal l'entreprise. En tant que présidente, j'ai mis beaucoup de soin à développer des équipes de direction et de gestion qui respectaient les personnes et les valeurs de coopération non pas seulement dans leurs paroles, mais aussi dans leurs actes. L'intégrité, la transparence, la possibilité de s'exprimer, mais aussi la capacité de se rallier à l'équipe lorsque les décisions ont été prises sont des atouts d'une organisation performante qui travaille dans la confiance. Et c'est ce qui fait des équipes fortes et durables.

Et un peu d'humour ne fait pas de tort! Par humour, je veux dire dédramatiser une situation et la remettre en perspective. Très souvent, quand on discute d'enjeux cruciaux, on perd de vue l'essentiel parce qu'on est obnubilé par des détails ou dominé par l'émotion que suscite le dossier. L'humour permet de prendre du recul et de se reconnecter à la réalité des gens qui nous entourent.

Apporter de la bonne humeur, arriver avec des idées et travailler à bâtir le consensus aide l'équipe à avancer. Cela relève de la dynamique d'un entraîneur avec ses athlètes. Je me souviens d'un conseil d'administration du Mouvement qui avait eu lieu pour la première fois à Toronto ; cela avait été particulièrement exigeant. Nous avions eu à organiser un dîner à la Chambre de commerce de Toronto. Peu avant la soirée, on me glissa à l'oreille que trois personnes du groupe célébreraient leur anniversaire. Nous avons donc fait préparer un gâteau et, avec l'aide de Benoît Turcotte, un membre du conseil qui a une voix superbe, nous avons chanté aux fêtés la chanson de Gilles Vigneault *Gens du pays*. Nos pairs de Toronto, habitués à plus de sérieux, n'avaient jamais vu ça. « The Board of Directors of Desjardins Group is doing this ? » C'est devenu une tradition, que nous reprenons à chaque souper du conseil où nous avons à souligner des anniversaires. Nous le faisons toujours dans la bonne humeur, pour le plaisir de nous retrouver autour d'une table.

Mes deux premières années de présidence s'achevaient. Pour passer à travers cette période pour le moins difficile, j'avais identifié des personnes-ressources — de milieux différents, à l'interne et à l'externe de Desjardins — que je consultais périodiquement pour valider mes intuitions. Merci à Jacques Sylvestre, à Michel Rouleau, à Denis Paré, à Yvon Vinet ainsi qu'à Suzanne Maisonneuve-Benoit de leur appui en tant que dirigeants de Desjardins, et merci à Serge Cloutier, à Jacques Dignard et à Bruno Morin de leurs sages conseils. Enfin, merci à Pierre Laurin, ancien directeur de HEC Montréal, et à France Chrétien-Desmarais, avec qui j'ai pu discuter au fil du temps de sujets plus personnels.

Chez moi

C'est à la présidence que j'ai commencé à m'imposer une discipline de repos. Pour moi, le travail n'a jamais été un *pensum*, bien au contraire, mais, pour garder la forme, je prenais une semaine de pause après nos assemblées générales, et je me suis réservé des plages d'au moins quatre semaines par année durant lesquelles je n'allais pas au bureau, tout en demeurant accessible. Cela me permettait de revoir mon organisation travail-famille et d'être un peu plus présente dans la vie des miens. Marc avait pris la décision de s'orienter davantage vers ce qui l'intéressait, et son nouveau style de vie se déroulait à un autre rythme. C'était très agréable, sa disponibilité, plus grande, compensait la mienne, qui était réduite. Ma fille Anne-Sophie, elle, entrait dans l'adolescence.

L'école secondaire, les réunions de parents, les groupes d'amis, la musique, les activités parascolaires, le sport; j'ai essayé de ne rien manquer de tout cela. Je l'ai vue évoluer dans des milieux stimulants qui lui ont donné de solides bases pour traverser cette période pleine de bouleversements. Des apprentissages d'une grande qualité, qui n'étaient pas les mêmes que les miens.

Marc et moi avons voulu que notre fille joue du piano, pour la formation unique que cela lui procurerait. J'ai dû mener de petites batailles pour amener Anne-Sophie à terminer sa huitième année de musique. Je me souviens de la fierté que j'éprouvais à l'accompagner à certains concours. Elle avait une facilité déconcertante pour l'instrument. Je me disais : « C'est impossible ; pratiquer si peu et avoir autant d'aisance ! »

C'est Marc qui s'occupait des activités sportives de notre fille, une passionnée de basketball et de *flag* football. Elle est même devenue quart-arrière de l'équipe de son école secondaire (PSNM) et du collège André-Grasset. Son équipe a remporté des championnats. Pas mal pour une fille dont les parents ne sont pas sportifs, sauf pour un peu de bicyclette et de ski de fond !

Anne-Sophie, je le crois, n'a pas trop souffert des paramètres de sécurité qu'elle avait à respecter et qui peuvent se révéler frustrants à l'adolescence. Fondamentalement, je ne l'ai jamais empêchée de faire ce qu'elle voulait. Mais nous devions tous tenir compte des inconnus qui pouvaient venir sonner à la maison pour toutes sortes de raisons. Et cela est arrivé! Je l'ai rendue consciente du fait qu'elle devait garder une certaine distance avec les gens qu'elle ne connaissait pas. Un jour — quoi de plus normal? —, elle est devenue active sur Facebook. Nous lui avons fait comprendre le pouvoir des médias sociaux, des photos, des listes d'amis: ses activités pouvaient avoir un impact sur moi et sur le Mouvement. Je me rappelle aussi lui avoir dit: «Anne-Sophie, tu ne peux pas aller dans un bar à 16 ans et faire comme d'autres… parfois avec de fausses cartes. Cela n'est pas conforme à la loi et peut poser problème.» Elle a très bien compris et respecté les consignes. Elle a tout simplement été extraordinaire.

Je pensais beaucoup à mes parents. À ma mère, particulièrement, surtout lorsque j'accompagnais Anne-Sophie à ses prestations musicales. Mes parents vieillissaient tranquillement. C'est durant cette période qu'ils se sont départis de la maison familiale de Boucherville. Quand ils ont décidé, le cœur gros, de la vendre, un point d'ancrage est disparu pour mon frère Martin et moi. J'ai repensé à ma belle jeunesse, à l'environnement créé par mes grands-parents et à Tartarin Chaussures.

La vraie vie, dont j'ai toujours voulu rester proche et qui finit irrémédiablement par prendre le dessus, faisait son œuvre.

Être les premiers

Après avoir réussi à vaincre la tempête, le Mouvement Desjardins, en accord avec la nouvelle équipe de direction et le conseil, s'est doté d'un plan stratégique fort et d'une structure plus efficace et unifiée. Nous pouvions dès lors passer en deuxième vitesse.

Il était temps de diffuser notre vision. Pour certains, c'était un exercice de mots, mais pour moi et pour plusieurs autres dirigeants et gestionnaires, cela a permis de camper nos ambitions plus clairement.

Nous nous sommes positionnés de la façon suivante :

Desjardins,
***premier** groupe financier **coopératif** du Canada,*
*inspire **confiance** dans le **monde***
*par **l'engagement** des **personnes**,*
*par sa **solidité** financière*
*et par sa contribution à la **prospérité durable**.*

Nous voulions être les premiers. Premiers par la vitalité de notre vie coopérative et démocratique. Premiers dans l'esprit et dans le cœur de nos employés, de nos dirigeants et de nos membres et clients, pour la fierté collective que nous leur inspirons. Premiers partenaires, aussi, des collectivités où nous sommes présents. Enfin, nous désirions être le premier groupe financier coopératif canadien par notre contribution à la collectivité et par notre solidité financière. C'était tout un contrat, qui allait nous motiver au plus haut degré pour les années à venir. La notion de prospérité durable n'était pas nouvelle car elle était déjà présente dans le discours d'Alphonse Desjardins à la première assemblée générale de la caisse de Lévis !

Nous avons défini cinq orientations que nous avons mises à l'ordre du jour du Mouvement : la coopération et l'engagement ; l'excellence de l'expérience membre et client ; la croissance et l'innovation ; la rentabilité et la solidité financière ; le *leadership* et la mobilisation des personnes.

Que de napperons à dessiner, que de rencontres et de discours à faire ! Mon travail allait principalement être centré sur la mobilisation des dirigeants et des employés. Car au-delà des plans et des modèles, au-delà des structures, des processus et de la technologie, il y a les individus. Ce sont eux, toujours, qui font la différence. Ce sont eux qui font les changements !

Nous étions près de 50 000 — dirigeants, gestionnaires et employés des caisses et des diverses composantes du Mouvement — à être au service d'une même mission, utile à plus de six millions de membres et de clients.

En novembre 2009, j'ai vécu un fort sentiment de fierté avec mon premier congrès à titre de présidente et le vingtième de Desjardins. Je suis certaine que c'était aussi le cas pour la grande majorité des gens présents. Nous avons eu de vraies discussions. Nous avons longuement parlé du « membre Desjardins » et de l'importance de mettre l'ensemble des ressources du Mouvement à son service, sans silos et sans contraintes. Nous avons également convenu de travailler à la croissance de Desjardins à Montréal et, plus globalement, au Canada, et surtout de renforcer la solidité et la performance financières du Mouvement. Ce n'est pas rien, quand on sait d'où on arrivait ! Le ciel était bleu chez les « verts ». Nous avons vécu lors de ce congrès une formidable manifestation de cette confiance que je cherchais à insuffler : confiance en nous-mêmes, en nos capacités et en nos moyens ; confiance, aussi, des uns envers les autres. Ce fut un grand moment d'émotion et d'énergie positive.

Il faut dire que nous avions plus d'une raison de nous trouver dans cet état d'esprit. La Caisse populaire de Lévis ayant été fondée le 6 décembre 1900, le Mouvement Desjardins se trouvait dans sa 110e année d'existence. En 2009, des personnes issues de tous les secteurs coopératifs du Canada ont déterminé qu'Alphonse Desjardins était le plus grand coopérateur canadien. Cette reconnaissance nationale fut accordée à notre fondateur pour sa contribution personnelle. Mais elle avait aussi à voir avec le fait que le Mouvement Desjardins est un symbole de fierté pour toutes les coopératives canadiennes.

Nous célébrions en outre les 40 ans d'existence de deux composantes du Mouvement qui participent beaucoup à son rayonnement et qui ont chacune une mission importante : Développement international Desjardins (DID) et la Fondation Desjardins. L'expansion internationale et l'implication sociétale par le soutien des jeunes et de la relève sont deux dimensions fondamentales de notre action qui allaient particulièrement retenir mon attention.

Le développement international

Quarante ans plus tôt, le Mouvement Desjardins créait Développement international Desjardins (DID) dans le but d'assister et d'outiller les populations des pays moins nantis en partageant avec eux l'expertise développée ici. Les actions de DID rayonnent aujourd'hui dans plus de 60 pays en développement répartis sur quatre continents, et DID est devenu un acteur mondial dans la promotion du secteur de la finance de proximité et dans le développement, entre autres, de réseaux coopératifs.

Meneurs dans le domaine du microfinancement, nous avions, en 2011, aidé plus de 7 millions de familles à travers le monde à avoir accès à des produits d'épargne et de crédit, par l'entremise de quelque 2 000 caisses populaires dans 25 pays en développement.

Cette année-là, nous étions encore bouleversés par le terrible tremblement de terre dont avait souffert Haïti en janvier 2010. Au lendemain de ce séisme ayant fait plus de 300 000 morts et un million de sans-abri, nombreux étaient ceux qui voulaient aider des organisations comme la Croix-Rouge à parer au plus pressant. En incluant les dons de nos membres, quelque 2,3 millions de dollars ont ainsi transité par notre réseau de caisses.

Après le sprint des premiers secours, c'est le marathon de la reconstruction qui s'est mis en branle. Nous avons lancé une nouvelle collecte de fonds au sein du Mouvement, afin que DID puisse appuyer la Fédération des caisses populaires haïtiennes dans ses efforts.

C'est par l'action de DID que j'ai réalisé, très tôt durant mon premier mandat, l'importance du développement coopératif international. Évidemment, ma priorité était de m'occuper du Mouvement sur les plans local, régional et national, mais je planifiais déjà que mon deuxième mandat, si on me reconduisait à la présidence, m'amènerait à renforcer nos liens internationaux.

L'essentielle éducation

C'était aussi le 40e anniversaire de la Fondation Desjardins, créée grâce aux excédents de 290 000 $ récoltés par la Caisse de l'Expo 67. Depuis, elle a aidé plus de 9 000 jeunes de toutes les régions du Québec dans leurs études ou leurs recherches universitaires et dans l'acquisition de nouvelles compétences techniques et professionnelles. Des bourses d'une valeur totale de plus de 11,5 millions de dollars ont été distribuées, ce qui en fait la fondation privée ayant octroyé le plus de bourses universitaires au Québec.

Cela tombait bien : pour moi, l'éducation a toujours été une priorité. Elle permet de construire la charpente sur laquelle repose la société : elle est à la base d'une vie démocratique saine, de la création de richesses et de prospérité — au sens large —, et elle est l'assurance d'une croissance et d'un développement équilibrés pour un pays ou une nation. D'abord et avant tout, elle offre aux individus la possibilité d'évoluer et de se prendre en main. Bref, l'éducation est au cœur de la coopération et de toute société prospère.

La Fondation Desjardins a eu un effet structurant pour les collectivités. Personne ne s'en réjouissait plus que moi. De concert avec son conseil d'administration et ses gouverneurs, je me suis employée à renforcer son rôle et sa portée afin d'en faire un levier encore plus important pour le soutien aux jeunes et pour la relève. En 2010, elle disposait d'un fonds d'un peu moins de 15 millions de dollars, ce qui était bien mais tout de même insuffisant, par exemple, pour pallier les problématiques de persévérance scolaire. Nous nous sommes donc donné un objectif : augmenter le capital de la Fondation à près de 50 millions. Pour ce faire, nous avons lancé une campagne de financement interne et externe, notamment par le biais d'une collecte de fonds. Aujourd'hui, après que certains aient parfois douté de notre capacité à atteindre cet objectif, je suis plus qu'heureuse du grand nombre de contributeurs qui nous aident à mieux soutenir la relève. Parmi mes activités préférées chez Desjardins se trouvent d'ailleurs les cérémonies de remise de bourses. La diversité des jeunes boursiers, de leurs profils, de leurs parcours, ainsi que leur engagement envers la société et leur force de caractère me font croire à un avenir meilleur.

Je me suis aussi beaucoup impliquée dans la conception et le lancement du programme Coopmoi, axé sur l'éducation, et qui, à mon avis, met la coopération au cœur de nos actions. Nous avons décidé d'affecter 1 % des excédents annuels du Mouvement à ce programme, fait de multiples initiatives de soutien au développement de la coopération. Nos axes d'intervention étaient inscrits dans les gènes de Desjardins : d'abord l'éducation à la démocratie, à l'économie, à la solidarité et à la responsabilité individuelle et collective ; ensuite, la coopération et l'engagement. Nous avons ainsi pu renforcer les formidables leviers que sont la Fondation et l'Institut coopératif Desjardins, qui est en quelque sorte notre propre université, et lancer le premier Sommet international des coopératives, à Québec — j'y reviendrai.

La nécessité de réaffirmer notre rôle en éducation financière était l'un des volets majeurs de Coopmoi. À la suite de la crise de 2008-2009, cette préoccupation avait crû dans l'espace public. Nos concurrents consentaient même d'importants investissements en matière d'éducation financière.

Chez Desjardins, nous avons pris plusieurs initiatives. Par exemple, nous avons lancé un nouvel outil budgétaire à la fois sur notre site Internet et sur nos services mobiles. Avec lui, il devenait plus facile de contrôler ses dépenses et d'atteindre ses objectifs personnels. Nous avons aussi mené une campagne de sensibilisation auprès des 45-65 ans, les invitant à préparer leur retraite et à entreprendre une démarche de planification financière.

Pour les jeunes, nous nous sommes associés à des partenaires qui s'impliquaient déjà dans le domaine éducatif, comme la Dictée P.G.L. L'éveil aux réalités internationales et aux notions financières ainsi que l'amélioration de la qualité du français font partie des objectifs de Coopmoi.

En matière d'intervention sociale, nous sommes allés jusqu'à devenir le commanditaire principal d'un film de Paul Arcand intitulé *Dérapages*. Ce film, produit par Denise Robert, a connu un vif succès et atteint sa cible, soit la sensibilisation des jeunes aux conséquences de la conduite dangereuse. Conduire prudemment, c'est un engagement personnel qui a toujours un impact collectif significatif; il s'agissait donc d'un message auquel Desjardins était fier de s'associer.

Enfin, dans le cadre d'un nouveau programme pour la jeunesse, nous avons investi 10 millions de dollars pour revitaliser et actualiser les caisses scolaires et étudiantes, qui constituent pour plusieurs un premier contact avec l'épargne. Nos outils, devenus désuets, devaient faire peau neuve ; une relance qui nous apparaissait essentielle vu le contexte général d'endettement des ménages et les déficiences en formation économique et en littératie financière chez les jeunes. Évidemment, le programme de caisse scolaire (primaire) et de caisse étudiante (secondaire et cégep) est très exigeant, car il demande la collaboration des caisses, des écoles, des professeurs et des étudiants. Mais, lorsqu'il fonctionne, comme j'ai pu l'observer notamment dans une école de Sherbrooke, il a un impact crucial et réel sur les jeunes. Quelle fierté de voir des étudiants du secondaire gérer leur caisse et apprendre à être membres de son conseil d'administration.

Mon féminisme à moi

Mettre en valeur publiquement la contribution des femmes et la diversité dans le monde de la finance et des affaires a toujours été important pour moi. Lorsque je méritais des honneurs en ce sens, j'en profitais pour expliquer mon point de vue.

La société bénéficie de la grande contribution des femmes et de leur reconnaissance, à la fois sur les plans de la politique, de l'éducation et de l'économie. J'ai des convictions très profondes quant à la nécessité de l'égalité et de l'équité des genres. Dans toutes les sphères de la société, la présence des femmes constitue une dimension importante du progrès de l'humanité.

D'ailleurs, malgré les progrès réalisés en Amérique du Nord au cours des 40 dernières années, force est de constater qu'il reste du travail à faire. J'ai le sentiment que le public, les médias et certains collègues masculins sont parfois plus exigeants et critiques à l'égard des femmes *leaders*. Est-ce une question culturelle, un fond de misogynie, ou encore de la méfiance ? Je ne le sais pas, mais, sans que cela m'affecte profondément, j'ai observé qu'on a adressé, à moi ainsi qu'à d'autres femmes, des critiques parfois personnelle que des hommes détenant des rôles semblables n'ont pas eu à subir.

C'est une fois présidente du Mouvement Desjardins que je suis passée de la parole aux actes. À l'occasion de notre 21e congrès — le deuxième de ma présidence —, en 2013, nous avons déterminé clairement notre orientation au sujet de l'équilibre hommes-femmes au sein des conseils des caisses et dans le Mouvement.

Avant mon élection, un certain nombre de questions de gouvernance avaient déjà été évoquées lors des assemblées générales de Desjardins. D'autres ont été soulevées aux assemblées de 2008 et de 2009. Vu la complexité et la nature politique de certains sujets, j'ai cru essentiel de former un comité consultatif des dirigeants qui avait pour mandat de déterminer quels questionnements et préoccupations avaient cours, de les examiner et de faire les recommandations appropriées au conseil d'administration du Mouvement. Ce comité, sous la présidence de Jacques Sylvestre, appuyé de Michel Rouleau, a entamé ses travaux en 2010. Ils ont duré deux ans, pendant lesquels, avec la collaboration d'une vingtaine de dirigeants du réseau, ont été organisées de nombreuses consultations.

Les orientations proposées par le comité et appuyées par le conseil d'administration du Mouvement ont été largement approuvées lors du 21e congrès. Or, l'une des recommandations mentionnait l'obligation normative de viser la parité hommes-femmes. Le Conseil soutenait cette proposition, mais celle-ci a fait surgir un débat : une partie de l'assemblée était d'accord sur le fond, tout en considérant que le cadre normatif était trop contraignant. Au moment du vote, nous nous sommes retrouvés dans une impasse. Le résultat divisait très exactement l'assemblée en deux, pas un vote de plus, pas un vote de moins ! Cela ne s'était encore jamais vu lors d'un congrès de Desjardins ! Je me souviens très bien du dévoilement : il y a d'abord eu un lourd silence, puis un long murmure. La confirmation du résultat par les vérificateurs internes, qui doivent s'assurer de l'intégrité du processus de votation électronique, s'est faite dans un climat tendu.

J'étais bien consciente que tous attendaient de voir ma réaction. En mon for intérieur, je me disais : « Que faire avec un tel résultat ? » Nous ne pouvions éviter de statuer sur une question aussi importante. Et nous ne pouvions pas nous déchirer non plus. Tandis que la plupart des responsables du congrès étaient encore sous le choc, les délibérations ont dû suivre leur cours, car une autre question devait être débattue avant la pause du lunch.

Je me rappellerai toujours l'intervention de Paul Ouellet, de la Caisse d'économie solidaire, qui a demandé le micro pour revenir sur le vote qui venait d'avoir lieu. Il fit un vibrant plaidoyer pour la diversité et la parité hommes-femmes. Et il reçut une ovation monstre.

Peu après, j'ai pris le micro et j'ai laissé parler mon cœur : « Écoutez, nous arrivons à l'heure du lunch. Je voudrais que vous discutiez de ce que nous venons de vivre. Je ferai de même avec les membres du conseil d'administration. Après le repas, nous déciderons ensemble ce que nous allons faire. »

Aussitôt sortie de la salle, j'ai réuni le conseil. Nous avons eu une discussion très animée. Certains souhaitaient passer à autre chose, remettre la décision à plus tard. Pour ma part, je croyais avec quelques autres que nous devions tenter de mieux comprendre ce qui se passait. Qu'il était impossible de mettre fin au congrès sans que cette question soit résolue.

Avec le conseil, nous avons alors convenu qu'au retour du lunch, nous demanderions à l'assemblée si elle était d'accord pour reprendre la discussion. Si tel était le cas, nous amenderions la proposition : l'obligation norma-tive serait remplacée par un engagement ferme, sur une base volontaire, de viser la parité hommes-femmes dans les conseils d'administration.

Au retour du repas, j'ai donc repris le micro. Les délégués ont accepté à 90 % de discuter de la proposition amendée soumise par le Conseil. Le débat s'est poursuivi, et le vote final s'est conclu favorablement avec 93 % des voix pour la proposition amendée. Encore une fois, le Mouvement Desjardins a montré son *leadership* en étant la première grande entreprise canadienne à s'engager de façon forte et volontaire à réaliser la parité hommes-femmes. Nous étions tous très fiers de ce grand moment qui a marqué notre 21e congrès.

J'ai mené d'autres batailles. J'ai affirmé à maintes reprises que, à tout le moins dans les entreprises publiques et parapubliques, un minimum de 30 % des postes de direction devrait être confié à des femmes. « De bonnes candidatures, il y en a. Et il va y en avoir encore plus. Le talent est présent. Il faut le mettre en action »[4]; voilà ce que je disais en juin 2011 à Gérard Bérubé du journal *Le Devoir*, qui m'interviewait relativement à un prix que Catalyst Canada me remettait pour ma contribution à l'avancement de la cause des femmes. Le mentorat que je faisais avec d'autres collègues auprès de plusieurs femmes d'affaires et gestionnaires m'avait d'ailleurs confirmé la compétence et le savoir-faire de mes collègues féminines.

Plus j'avançais, plus je me sentais privilégiée de travailler tout en bénéficiant de la liberté de m'exprimer ainsi. Aucune autre de mes expériences professionnelles ne m'avait encore apporté autant de satisfaction sur les plans du travail quotidien, de la dynamique avec les gens et des valeurs. Cela dit, mes propositions n'ont jamais passé «comme des lettres à la poste»! Nos assemblées et rencontres ont toujours suscité de bons débats d'idées entre des personnes représentant des milieux et des points de vue différents.

Un jour, un collaborateur qui me connaissait bien me fit remarquer que j'étais en train de transformer le Mouvement, mais que le Mouvement m'avait aussi changée. Au premier chef, j'ai pris cela comme une boutade ou un mot d'esprit auquel je n'ai pas trop prêté attention. Mais par après, j'ai réfléchi à ce que ce collègue venait de me dire.

Il avait raison. Plus j'avançais en tant que présidente, plus j'intégrais le fait que ce qui caractérise le Mouvement, soit le respect des individus, la solidarité, l'entraide, l'engagement social, l'éducation, ainsi que le développement économique et durable, me correspondait totalement.

Comme si le fait d'être chez Desjardins avait réveillé mes valeurs profondes, qui tiraient leur origine de mon enfance.

Des fenêtres de mon bureau, on voit bien les îles de Boucherville. J'ai regardé longuement au loin, vers l'est, par-dessus l'île Sainte-Hélène et le pont Jacques-Cartier. Ce monde qui s'étalait devant moi m'inspirait confiance. C'était un monde généreux, soucieux de bien faire. Un monde où tout n'est pas parfait, mais où chacun tente de faire du mieux qu'il peut pour le bien commun. En pensant à long terme.

Par ailleurs, je n'ai jamais considéré le coopératisme que je défendais comme antinomique au monde des affaires, de l'économie et de la performance. Au contraire. Pour moi, la conjugaison de l'engagement de servir nos membres et clients — ceux d'aujourd'hui et ceux de demain — et de la capacité d'être performants et productifs s'inscrit dans la logique d'une coopérative attrayante, dynamique, innovante, responsable et durable. Et, par mes lectures de l'œuvre et des textes d'Alphonse Desjardins et de ses successeurs, j'avais développé cette conviction profonde que nous devions «conjuguer avoir et être», et qu'il fallait viser une performance et une solidité financières rassurantes pour développer notre groupe coopératif à long terme, et ce, quelles que soient les conditions des marchés financiers.

La croissance et l'ouverture sur le monde

Notre performance était plus que satisfaisante. En 2010, nous avions enregistré des excédents historiques de plus de 1,4 milliard de dollars, en hausse de 34 % par rapport à 2009. Les secteurs Services aux particuliers et Services aux entreprises avaient quant à eux accru leurs excédents de 33 % pour la même période. Selon le réputé magazine américain *Global Finance*, nous occupions le 25ᵉ rang des institutions financières les plus sûres du monde, et le 4ᵉ en Amérique du Nord. La revue britannique *The Banker* nous attribuait même le titre canadien d'institution financière de l'année. Et, bien sûr, la performance globale du Mouvement a continué de s'améliorer avec une croissance des revenus, de la rentabilité et du capital au cours des années subséquentes.

Ces succès en ont dérangé plusieurs, qui se demandaient si la performance peut aller de pair avec la coopération. Claude Béland, ex-président du Mouvement, a notamment exprimé des critiques bien senties ; certains de ses commentaires publics portaient aussi sur les dirigeants des caisses et leur engagement réel à servir les membres.

Nous avons invité monsieur Béland à en discuter avec les instances de Desjardins. Il a préféré poursuivre ses interventions à travers les médias, ce qui a déçu de nombreux dirigeants, y compris certains avec qui il avait travaillé.

Pour plusieurs, cette attitude était contraire à l'esprit coopératif, qui met de l'avant le dialogue constructif entre les parties prenantes de la coopérative.

Bien sûr, nous n'avions pas besoin de ces déclarations à un moment où l'univers financier venait de comprendre que les questions de risques, de rentabilité et de solidité sont à la base de la confiance, y compris pour les coopératives. Les échanges ont été fort différents avec Alban D'Amours, mon prédécesseur, et Rosario Tremblay, un des piliers du Mouvement. Tous deux ont su me conseiller et guider les dirigeants vers une prise de décision consensuelle et éclairée. Je les remercie de leur confiance.

Dans l'ensemble, j'ai toujours été sereine car je me suis toujours appuyée sur l'intelligence collective des dirigeants. La présidence me donnait la possibilité de les consulter sur plusieurs plans, et j'ai pu m'appuyer sur une solide équipe de direction. Les conseils d'administration du Mouvement et des filiales étaient aussi à l'œuvre, et je pouvais bénéficier de leurs conseils et de leur contribution aux décisions.

De fait, toutes nos décisions pour le réseau et le Mouvement ont fait l'objet de discussions collectives. Même si je savais que certaines pouvaient susciter la grogne dans les médias, j'ai toujours statué après une large consultation, en m'appuyant sur un solide consensus et en donnant la priorité au bien commun de Desjardins, des membres actuels et futurs et de nos employés, dans une perspective à long terme. Cela n'a pas toujours été facile, car la pression pour maintenir le *statu quo* est toujours importante, tant chez Desjardins que dans la société.

En matière de développement, nous avons travaillé avec beaucoup d'ardeur au renouvellement de notre partenariat de coopération avec le Crédit Mutuel de France, notamment pour les secteurs des entreprises, de la monétique et de la technologie. Le Crédit Mutuel avait des clients européens souhaitant développer des affaires au Canada, et nous pouvions prendre le relais. Bien sûr, l'inverse était aussi vrai, avec, de notre côté, des membres entreprises très actifs à l'extérieur du Canada. Avec les quelque 25 000 dirigeants élus du Crédit Mutuel, près de 6 000 caisses de crédit et agences en France, et plus de 800 milliards d'euros au bilan, Desjardins avait tout intérêt à poursuivre cette relation, au bénéfice de ses membres et de ses clients.

Nous avons ainsi concrétisé un accord de coopération renouvelé avec le Crédit Mutuel. Par exemple, nous avons décidé de développer ensemble le marché des solutions de paiement électronique, à l'échelle canadienne et internationale : de cette volonté est né Monetico. De plus, nous avons ouvert un bureau de représentation dans les bureaux du Crédit Mutuel à Paris, et le Crédit Mutuel a fait de même dans les nôtres, à la Caisse centrale, afin d'accompagner nos membres et clients de chaque côté de l'Atlantique.

Cet accord avec le Crédit Mutuel a aussi donné lieu à des missions organisées à l'intention d'entrepreneurs d'ici visant le marché européen, et réciproquement. Et ce ne sont là que quelques exemples d'initiatives mises de l'avant pour bonifier notre offre aux entreprises de toutes tailles sous le *leadership* de notre premier vice-président et directeur général Entreprises, Services de cartes et Monétique, Stéphane Achard, toujours énergique et engagé, qui a fortement contribué, avec son équipe, à ce que nous atteignions nos buts.

Nous avons ensuite travaillé à l'acquisition de Western Financial Group. La tendance était à la consolidation dans l'industrie de l'assurance générale. Nos équipes trouvaient important que Desjardins diversifie et renforce ses réseaux de distribution au Manitoba, en Saskatchewan, en Alberta et en Colombie-Britannique. Cette acquisition, aussi convoitée par un concurrent de taille en assurances de dommages, était l'occasion pour le Mouvement de faire une percée importante dans l'ouest du pays. Elle offrait également des occasions d'affaires intéressantes pour la distribution de produits et de services d'autres filiales de Desjardins et permettait à nos équipes de réapprendre à consolider nos marchés par voie d'acquisition et de partenariat. En parallèle, notre secteur de gestion de patrimoine procédait à des transactions avec la Financière MGI et avec QTrade Financial Group, dans l'optique de consolider nos réseaux de distribution à travers le Canada.

L'entente que nous avons conclue en 2014 avec la mutuelle américaine State Farm pour l'acquisition de ses activités canadiennes a toutefois été la transaction majeure pilotée par l'équipe de direction du Mouvement, appuyée par le conseil d'administration de la Fédération et les conseils des filiales. Elle nous a permis de nous hisser parmi les trois plus importants joueurs canadiens de l'assurance de dommages, en plus de raffermir notre position dans le marché de l'assurance-vie et de nous permettre d'acquérir un réseau d'environ 500 agents expérimentés.

Ce fut un choix stratégique que nous avons débattu longuement, car il comportait des risques financiers et opérationnels, entre autres quant aux systèmes technologiques, au modèle d'affaires et à nos capacités d'intégration. Par ailleurs, en 2011, l'achat d'AXA par Intact Assurance avait fait passer Intact au premier rang des assureurs de dommages au Québec et au Canada — et, dans ce dernier cas, très loin devant ses concurrents. Desjardins avait donc deux choix : être un acteur ou rester spectateur de cette vague de consolidation. En outre, dans un contexte de taux d'intérêt bas, qui avaient pour effet de comprimer les marges bénéficiaires des activités des caisses, servir une plus grande clientèle dans le domaine de l'assurance ferait baisser nos coûts unitaires et nous permettrait, lors d'une seconde phase, de distribuer d'autres produits Desjardins à ces nouveaux clients et, donc, de soutenir aussi notre compétitivité dans le domaine bancaire. La transaction amenait certains risques, mais aussi une forme de diversification de nos affaires, avec plus d'un million de nouveaux clients et un solide réseau d'agents exclusifs.

Cette transaction a aussi démontré à l'équipe de direction à quel point le travail collectif est porteur pour mener à l'atteinte d'objectifs. Au total, il nous a fallu 18 mois pour la mener à terme. Les négociations avec State Farm ont été longues et les discussions, très nombreuses au sein de l'équipe Desjardins. Elles concernaient la structure et le financement de l'acquisition et, surtout, le plan d'intégration. Pour moi, il était essentiel, d'une part, de réussir une transaction où l'actionnaire minoritaire de notre filiale d'assurance de dommages — le Crédit Mutuel — serait à l'aise d'investir et, d'autre part, que la mutuelle américaine State Farm participe aussi à la transaction par un investissement de capital important, de façon à créer un réel alignement des intérêts des partenaires. Par conséquent, en vertu de nos ententes, à la fois State Farm et le Crédit Mutuel se sont engagés à investir dans le capital de notre assureur de dommages qui intégrerait les activités de State Farm au Canada. C'est ainsi que la plus grande mutuelle d'assurance de dommages des États-Unis (à raison de 450 millions de dollars), la troisième banque coopérative en importance en Europe (à raison de 200 millions de dollars) et le premier groupe financier coopératif au Canada (à raison de plus d'un milliard de dollars) ont uni leurs forces pour faire de cette transaction un succès !

Forts de nos valeurs communes, nous sommes arrivés à une entente par le dialogue ; en partageant nos expertises, en négociant de bonne foi et en faisant preuve d'une ténacité exemplaire. Sylvie Paquette, première vice-présidente et directrice générale Assurance de dommages, ainsi que Denis Berthiaume, premier vice-président et directeur général Gestion de patrimoine et Assurance de personnes, Réal Bellemare, premier vice-président Opérations et Performance, et surtout Denis Dubois, à l'époque vice-président Indemnisation, Acquisitions, ont joué un rôle prépondérant dans la conclusion de cette entente historique pour le Mouvement. Du côté de State Farm, Paul Smith, chef des finances, et Ed Rust, président du conseil et alors aussi chef de la direction, ont largement contribué à faire aboutir les négociations.

Cette transaction fut l'une des plus importantes auxquelles j'aurai participé. Chez Ernst & Young, à la Royale et même chez Québecor, j'avais été présente lors de transactions majeures, mais jamais en détenant autant de responsabilités. Ce fut aussi l'occasion de voir à l'œuvre les qualités complémentaires de notre équipe de direction :

- Sylvie Paquette, une femme de tête d'une exceptionnelle capacité stratégique, qui a été soutenue par Denis
  Dubois, un actuaire de formation dont la capacité
  de travail et la façon de travailler avec les gens sont
  remarquables. J'adore discuter avec Sylvie et Denis, car
  ils ont des idées claires : on avance et on agit !

- Denis Berthiaume, un excellent actuaire devenu
  également un excellent gestionnaire de personnes.
  Il possède une connaissance hors pair du marché et
  des assurances ;

- Réal Bellemare, un pilier de l'équipe de direction.
  Homme de tête et de cœur au solide jugement, il
  maîtrise parfaitement nos métiers, mais il sait surtout
  mettre les intérêts de l'équipe et du Mouvement au
  cœur de ses décisions ;

- Et bien sûr Normand Desautels. Pour moi et pour
  plusieurs, Normand, c'est l'expérience, et surtout la
  connaissance de Desjardins et des personnes qui composent notre Mouvement. Que de discussions nous
  avons eues ensemble pour recommander les meilleures
  décisions à nos instances.

Durant ma présidence, j'estime que j'ai voué une grande
partie de mon temps à ce qu'on appelle la stratégie et
le développement de l'entreprise, les trois autres dimensions de mon action étant : la gestion interne, correspondant essentiellement à la gestion des personnes et
au suivi de la performance ; la communication avec

l'ensemble des parties prenantes du Mouvement ainsi que la gouvernance ; et, finalement, le développement des affaires avec des membres, des clients et des partenaires d'affaires. Mais je dois avouer que ce qui me passionne le plus, ce sont «les personnes». Car tout ce que l'on fait avec succès dépend de notre capacité à avoir les bonnes personnes au bon endroit qui se fixent les bonnes priorités ! J'aime les voir se mobiliser pour prendre les choses en main !

J'aime également le développement des affaires, la stratégie et les transactions. En fait, non : j'adore cela ! Dans le cas de State Farm, j'ai assisté à toutes les rencontres importantes. Je me suis donné le temps de réfléchir à ce qui était non négociable, j'ai étudié les paramètres financiers, les enjeux de ressources humaines, le plan d'intégration et la capacité des responsables chez Desjardins de réussir cette intégration.

Les choses se sont bien déroulées avec Michel Lucas du Crédit Mutuel. Nous sommes capables de nous parler sans détour, de nous comprendre de façon très claire quant aux enjeux généraux et à nos objectifs respectifs. Pour la négociation avec State Farm, je suis allée une première fois à Chicago avec une équipe dont faisaient partie Denis Dubois, Sylvie Paquette et Réal Bellemare, afin de rencontrer les hauts dirigeants de la mutuelle en présence de leurs conseillers juridiques. Au moment de l'offre d'entente préliminaire, je souhaitais avoir une discussion en profondeur avec les directeurs exécutifs.

Est-ce qu'il y avait un *fit*? Est-ce que ça pouvait fonctionner, sachant qu'on avait devant nous une entreprise emblématique aux États-Unis et qu'elle occupait une position de premier rang dans son secteur, avec près de 25 % de parts de marché?

Réaliser une transaction est toujours exigeant. Il y a des impondérables. Moi, il faut que je voie les gens, qu'on se regarde dans les yeux et qu'on se dise: «Voici ce qui est non négociable pour nous; qu'est-ce qui est non négociable pour vous? Comment peut-on conclure une entente qui remplit tous nos objectifs?» Avec State Farm, mon instinct me soufflait que cela fonctionnerait, mais je voulais le confirmer et m'assurer de voir l'équipe de direction dans son milieu.

J'ai donc demandé une rencontre privée avec le président du conseil et chef de la direction, Ed Rust. Exceptionnellement (cela m'est arrivé deux fois chez Desjardins entre 2001 et 2016), nous avons pris un avion privé pour nous rendre de façon efficace à Bloomington, au siège social de State Farm. La discussion a été franche et directe, sans détour et sans équivoque sur les exigences du plan d'intégration.

Pour moi, tout passe toujours par un engagement formel de ceux qui deviendront des partenaires de confiance. Je ne délègue personne pour ce genre de choses. Quand je dois mettre mon nom sur une transaction, je veux m'assurer que je serai capable de compter sur l'intégrité et l'engagement des gens qui seront au cœur du dossier.

Même si notre rapprochement était récent, Ed Rust et moi avons discuté des similarités entre nos deux organisations. « State Farm a le même genre de passé que Desjardins, a-t-il dit. Nous sommes également convaincus de l'importance du service, et nous avons une culture semblable à certains égards. »

Il s'est passé quelque chose entre Ed, Michel et moi durant cette aventure de 18 mois. Lors de l'assemblée générale annuelle de 2014, nous avons convenu de tenir une conversation devant quelque 2 000 personnes, passant du français à l'anglais, afin d'expliquer la transaction, mais surtout de témoigner de notre engagement respectif à appuyer nos équipes de travail. Ils se sont un peu amusés à mes dépens, disant ce qui leur plaisait sans que cela se rapporte toujours aux questions que je leur posais — mais je ne me suis pas gênée non plus pour les taquiner ! Nous étions tous les trois heureux d'être ensemble pour témoigner à nos délégués et gestionnaires notre conviction quant au succès de la transaction et du plan d'intégration. « J'ai rencontré Michel Lucas il y a deux jours seulement, et c'est déjà comme si on était de vieux amis », a lancé Ed Rust dans un éclat de rire enthousiaste, à l'américaine.

Le résultat ? Nous avons reçu un grand nombre de commentaires positifs à la suite de cette assemblée. Pourquoi ? Parce que, malgré les blagues, la discussion avait été solide, et la complicité qui régnait entre nous a transparu : elle a nourri la confiance des participants quant à ce que nos trois institutions pouvaient réaliser ensemble. C'est là une autre démonstration du fait que, dans toute organisation, c'est toujours l'humain qui fait la différence.

Évidemment, il y aura beaucoup de travail à faire sur le plan de cette acquisition et de son intégration au Mouvement au cours des cinq prochaines années. Mais j'ai la conviction qu'elle ouvrira beaucoup de possibilités additionnelles pour Desjardins, que ce soit grâce aux nouveaux agents, heureux de distribuer les produits Desjardins à travers le Canada, aux équipes d'innovation de Desjardins, de State Farm et du Crédit Mutuel qui travaillent ensemble, ou à la connexion de partenaires coopératifs au Canada, aux États-Unis et en Europe. Et, je le souligne, cette transaction a été réalisée à la valeur comptable, dans le contexte d'un marché en consolidation !

La culture « membre »

Il faut revenir au congrès de l'année 2009 pour parler d'une grande ambition, peut-être la plus importante de ma présidence. Elle a commencé à se concrétiser à compter de 2010.

Lors de ce congrès, les délégués des caisses avaient massivement appuyé la notion de « membre Desjardins ». Nous avions convenu, conceptuellement, de faire en sorte que nos membres et clients soient « reconnus » et qu'ils ou elles reçoivent tous les services souhaités, peu importe la caisse ou la composante où ils se présenteraient. Cela impliquait évidemment que la qualité du service soit la même partout dans le réseau et dans le Mouvement.

Cela paraît évident aujourd'hui, mais il faut se replacer dans un contexte où chaque caisse avait son propre plan d'affaires pas toujours synchronisé avec les autres caisses de sa région et le reste du Mouvement. Les systèmes et processus alors utilisés ne facilitaient pas non plus le partage d'informations intercaisses.

Voici ce que j'annonçais au Mouvement à l'automne 2010 :

> « Il faut placer la perspective "membre" au cœur de nos décisions et de nos processus, ce qui nous permet de voir plus loin et de régler plus rapidement nos problèmes internes. Essentiellement, les orientations stratégiques de notre plan d'évolution tendent toutes à renforcer le lien de confiance des membres, des clients et des collectivités à l'égard de Desjardins, et à assurer ainsi la pérennité du Mouvement. Je suis satisfaite de nos progrès et d'un certain nombre d'actions qui découlent des orientations stratégiques, sauf peut-être en ce qui a trait à l'orientation Excellence de l'expérience membre et client. C'est un dossier fondamental et complexe

sur lequel nous travaillons très fort depuis quelques années, mais tout n'a pas encore été livré. »

Je n'exagérais pas. Je me souviendrai toujours de ce membre très important de la communauté de Trois-Rivières qui m'a raconté qu'un jour où il était pressé et avait urgemment besoin de transférer des fonds à sa conjointe, il est entré dans une caisse, en route vers Québec, et s'est fait dire qu'il était impossible de répondre à sa requête, puisqu'il n'était pas membre de cette caisse en particulier. Mais il était déjà membre de deux autres caisses ! Et il était avant tout membre Desjardins ! En me racontant son expérience, il était encore rouge comme une tomate. Je me suis excusée au nom de tous et j'ai appelé notre vice-président régional pour qu'un suivi rapide soit fait avec les caisses du secteur. Il était important de parler de cette situation avec nos employés et de leur expliquer que le membre s'attend à être servi en étant reconnu comme un membre Desjardins, et ce, quel que soit le centre de services ou la caisse, et peu importe que sa demande soit faite en personne, par téléphone ou sur un dispositif mobile.

Cette histoire est un exemple parmi d'autres qui m'ont poussée à inviter toute notre organisation à « se mettre à la place du membre ». Nous avons adopté cette perspective dans de grands événements porteurs : le forum des directeurs généraux, les Rendez-vous des présidents et des directeurs généraux, nos assemblées, et les rencontres d'employés.

Tout au long de 2011, sondages auprès de milliers de membres, études, témoignages, échanges avec des groupes experts ont été réalisés. Nous avons stimulé sans relâche l'action dans les caisses et dans nos secteurs d'affaires, poursuivi notre offensive d'élimination des silos et corrigé ce que nous percevions comme un enjeu majeur. Bien que certaines caisses et unités d'affaires se distinguaient en matière de qualité du service, nos membres et clients étaient trop souvent confrontés à des refus : « Nous ne pouvons pas faire ceci », « Ce n'est pas nous qui faisons cela, il faut parler à mon collègue. » S'adapter aux besoins évolutifs des membres et des clients afin de mieux les servir, combler les demandes créées par le développement accéléré du numérique, satisfaire les générations X et Y, toujours plus connectées, considérer les nouvelles données ethnoculturelles : tout cela devait être pris en compte dans notre prestation de services, dans une approche globale, pour l'ensemble de Desjardins.

En septembre 2011 eut lieu une assemblée des représentants et, en octobre, le Forum des directeurs généraux, qui a été jumelé à un Rendez-vous des présidents et des directeurs généraux. Cette importante activité de concertation a réuni près de 800 participants et a porté principalement sur l'évolution de la Caisse et de ses centres, ainsi que sur le virtuel.

Notre objectif : renforcer une vision commune des orientations à privilégier afin de faire évoluer l'expérience membre et client Desjardins. Deux constats principaux nous guidaient : la qualité de la relation avec les membres et les clients, de même que l'importance de la croissance du nombre de membres.

Cette séquence de rencontres de concertation a été un moment charnière de mes années à la présidence. Nous avons réussi à amener notre grande organisation à travailler toujours dans une même direction, avec l'ambition d'être la meilleure pour ses membres et clients.

« Le membre est le fil conducteur du Mouvement, ai-je annoncé en ouverture du Rendez-vous. Nous allons donc nous mettre à la place des membres, qui nous regardent et qui nous interpellent. À cet effet, les constats qui vous seront présentés démontrent qu'il y a des attentes et des besoins auxquels on ne répond pas, ou pas de la bonne façon. Nous en discuterons avec lucidité, ouverture et dans la collaboration… Mais, surtout, nous nous concerterons sur ce qu'il faut faire pour passer de la préoccupation à l'action. »

Je voulais faire comprendre que, au-delà des processus, la qualité du service, qui se répercute sur la satisfaction des membres, est une question d'attitude, un état d'esprit à cultiver tous les jours. Je repensais à monsieur Caron et à son engagement, à cette primauté qui doit revenir au client. J'étais convaincue de la capacité de notre organisation à relever ce défi. Je savais aussi que cela ne se ferait pas en trois tours de manivelle. Ce serait un long marathon, voire une course à relais!

Une des premières décisions exigeantes qui a découlé de ce grand Rendez-vous a été de mettre en place, pour une première fois dans l'histoire du Mouvement, des sondages pour mesurer la satisfaction de nos membres et clients, et ce, de manière uniforme, objective et obligatoire pour toutes les caisses, les unités d'affaires et les filiales du Mouvement. Tout un changement organisationnel et culturel! À cela se sont ajoutées les visites de clients mystères — c'est-à-dire des personnes se faisant passer pour des membres et clients réguliers, mais qui sont en fait chargées de tester la qualité du service offert — ainsi que des «boucles de rétroaction», soit de simples appels téléphoniques faits à la suite d'une prestation de service pour demander au membre ou au client s'il recommanderait les services de la Caisse.

Proche, engagé et *à l'avantage* sont devenus les leitmotivs de tous nos employés, mais aussi les points d'ancrage de notre stratégie et de notre engagement à compter de 2012, avec l'ambition que Desjardins soit parmi les trois meilleurs au Canada pour la qualité de ses services.

Nous avons voulu donner un sens à ce que cela veut dire, être un membre Desjardins. Plusieurs études menées auprès de nos membres démontraient qu'ils avaient des attentes élevées par rapport à un service efficace, rapide et à valeur ajoutée. En outre, ils s'attendaient à recevoir des avantages de leur groupe coopératif : c'est sur quoi nous avons décidé de travailler, avec des approches dynamiques et innovatrices, particulièrement auprès des jeunes. Pour plusieurs de nos membres, la valeur ajoutée associée au fait d'être membres Desjardins devait s'articuler autour d'avantages concrets reliés à leurs besoins. Pour la majorité, ce n'était pas la ristourne qui faisait la différence.

Et, lentement mais sûrement, le nombre de membres et de clients a recommencé à augmenter ! En fait, la satisfaction générale est en hausse au sein du réseau depuis la mise en place des outils et des sondages qui nous permettent de mesurer notre performance et d'analyser en continu les commentaires de nos membres et clients.

Parler de qualité de service et d'avantages pour les membres était très stimulant pour tous nos employés. De fait, l'équipe de Marie-Huguette Cormier, avec tous les collègues de la direction et les caisses, a accompli un travail remarquable. Marie-Huguette, une ancienne athlète olympique, est une femme de cœur et d'action qui place toujours l'équipe à l'avant-plan. Elle m'a soutenue de façon exceptionnelle dans plusieurs dossiers, et je la remercie pour son travail au nom de nos millions de membres et clients.

En tant que première vice-présidente Marketing, Communications et Coopération, elle a notamment su mobiliser ses troupes pour créer le réseau Promesse. Il s'agit d'une section du site intranet des employés où l'on diffuse, entre autres, des nouvelles présentant des initiatives et des réalisations remarquables en matière de qualité de service. L'équipe a aussi produit des témoignages très touchants, qui communiquent très bien la différence que nous faisons dans la vie de nos membres et clients.

En 2015, pour la première fois, j'ai souhaité que notre sondage annuel pour mesurer la mobilisation de nos employés soit réalisé à travers l'ensemble de l'organisation, afin d'aller chercher l'avis de tous. Plus de 35 000 employés y ont répondu, en plus de formuler pas moins de 8 500 commentaires et suggestions. Josiane Moisan m'a très efficacement soutenue pour piloter ce dossier important à la grandeur du Mouvement. Bien sûr, nous sommes tous fiers que Desjardins soit maintenant identifié comme un «employeur de choix au Canada»! Mais, au-delà de ce titre, une entreprise performante, c'est d'abord une organisation qui a de l'ambition, qui veut être la meilleure pour ses membres et clients, et qui peut compter sur des employés qui s'engagent et se mobilisent. Même si tout n'est pas parfait et qu'il nous reste beaucoup de travail à accomplir, j'ai le sentiment qu'avec nos équipes, nous avons bâti des fondations solides. En instaurant des mesures objectives pour connaître la perspective de nos employés, nous continuerons de nous améliorer comme organisation au service de nos millions de membres et clients, que nous servons avec l'ambition d'être les meilleurs, en réalisant tous les jours notre Promesse.

Cadenza

{ Progression harmonique
d'un accord vers un autre

J'ai déployé mes ailes

À la fin de 2011, la planète avait changé. La crise financière avait modifié les équilibres mondiaux et montré certaines limites des économies de marché. C'est la coopération entre les gouvernements et les banques centrales qui a permis d'éviter le pire. Le modèle coopératif avait moins souffert des chocs sur les marchés financiers. Une étude réalisée par l'Organisation internationale du travail le confirmait : les entreprises coopératives sont plus résilientes. La preuve ? Aucune d'elles n'avait eu à quémander d'aide gouvernementale durant la crise.

En Amérique du Nord et au Québec, les profils démographiques et sociologiques continuaient d'évoluer très rapidement. Nos clients et nos membres ne voulaient plus les mêmes choses que cinq ans auparavant. Un tsunami numérique pointait à l'horizon, l'immigration n'était plus un facteur d'adaptation réservé aux grandes villes, et la mondialisation devenait chaque jour plus concrète dans nos vies et sur le plan des affaires. Autant de nouveaux défis que j'avais le goût de relever, tout en connaissant très bien la somme de travail, à l'interne comme à l'externe, que signifiaient ces changements !

Dans ce contexte, après avoir consulté des collègues du conseil, des dirigeants du réseau et des proches, j'ai pris la décision de poursuivre mon travail à titre de présidente. J'ai donc fait savoir au conseil d'administration, conformément à nos règlements, que je désirais renouveler mon mandat. Un consensus assez large a, je crois, fait en sorte que j'ai été réélue par acclamation. J'ai interprété le fait qu'il n'y ait pas d'élections comme une grande marque de confiance. Nous avions annoncé de nombreux projets porteurs pour l'évolution du Mouvement, et j'étais vraiment motivée à l'idée d'y travailler avec tous. Après avoir consacré les deux premières années de mon premier mandat à gérer la crise, j'étais heureuse de pouvoir bâtir l'avenir.

Sur le plan plus personnel, je dois dire que je déteste la routine. J'étais donc heureuse, car la présidence de Desjardins apporte tous les jours de nouveaux défis. Mes périodes de travail, très diversifiées, s'échelonnaient alors de six heures du matin jusqu'à tard le soir, six jours par semaine. Je ne m'en suis jamais plainte. Tout au plus, comme je n'aime pas être bousculée, le fait que je sois présidente me permettait de formuler certaines demandes lorsque je trouvais qu'on me « barouettait » un peu trop, comme disait mon grand-père. À la présidence, les occasions de remplir l'agenda d'activités internes ou externes sont presque infinies. J'ai donc pris l'habitude de préparer, avec mon bureau (et mes fidèles collaboratrices, dont Danielle Morin, qui a toujours « veillé au grain », avec l'appui de Greg Newsome, en charge des déplacements et de la sécurité), mon calendrier annuel, révisé chaque semaine afin d'être réaligné sur les priorités du Mouvement.

En fait, je le confesse, je suis devenue une « accro » de Desjardins !

De mère en fille

Avec le soutien de Marc, j'ai réussi à trouver le temps nécessaire pour accompagner ma fille dans la fin de son adolescence. Cette période n'est pas toujours facile. J'espérais avoir les bons mots pour aider Anne-Sophie à faire son chemin. Curieusement — une heureuse coïncidence! —, alors que ma fille avait 17 ans, Louise Gendron, de la revue *Châtelaine*[5], m'a demandé de me prêter à un exercice qui m'a surprise, mais qui, au fond, nous a bien aidées, Anne-Sophie et moi. Il résume bien ce que je crois être les bases fondamentales de la vie que je souhaite pour ma fille — j'en ai d'ailleurs rediscuté avec elle par la suite. J'en laisse ici quelques extraits.

. . . .

Six conseils à ma fille

Choisis ce qui te rend heureuse

Si tu fais un travail que tu aimes, ça va t'apporter de la joie, que tu partageras à ton tour avec ta famille. Très souvent, les gens qui connaissent le plus de succès, ceux qui s'impliquent le plus dans ce qu'ils font sont ceux qui ont choisi un domaine, non pour le titre ou la carrière, mais parce qu'ils se sont dit: «Moi, je souhaite contribuer à quelque chose.» Et qu'ils ont été prêts à y mettre la fougue et le temps requis.

Fais-toi confiance

On a souvent plus de moyens et de possibilités qu'on ne l'imagine. Bien des gens m'ont
donné un coup de main, m'ont fait confiance,
et je les en remercie. Mais, en plus, ça prend
cette confiance en soi qui permet de respecter ses engagements. Et ensuite, on doit à son
tour donner notre confiance aux autres. Tout
ça crée un «cercle vertueux» très puissant.
J'ai travaillé avec bien du monde, hommes
et femmes, dans des contextes différents.
J'ai noté que l'ambition ne s'exprime pas de
la même manière chez les deux sexes. La
capacité de se dire qu'on est capable, il faut
stimuler ça un peu plus chez les filles. Côté
leadership, c'est aussi différent. De façon
générale — plusieurs études le confirment
—, les femmes gèrent le risque plus prudemment. Si on confie le même portefeuille de
placements à un groupe d'hommes et à un
groupe de femmes, ce dernier va être plus
réservé, moins hardi que l'autre. Alors que le
rendement idéal serait obtenu par un mélange
des deux. Les femmes doivent prendre plus
de place et avoir davantage d'audace.

Prends les moyens pour être en paix

Famille, carrière, conciliation, comment réussir ça? Il n'y a pas de réponse universelle. Mon seul conseil: arrange-toi pour que ton conjoint, ta famille et toi soyez à l'aise avec vos décisions. La vie professionnelle va t'offrir des occasions qui pourraient t'amener à te développer, mais qui parfois vont sembler en conflit avec les besoins de la maisonnée. Ce n'est pas une raison pour les laisser passer. À quoi sert de rester à la maison si tu n'es pas heureuse? Il existe des moyens. […]

Conserve un équilibre

Ne perds pas de vue que, une fois la carrière terminée, au moment de la retraite, il faut pouvoir retrouver ses amis, sa famille, avoir une vie. Alors, oui, travaille. Mais garde un équilibre. Je bosse dur, tu le sais. Mais tu sais aussi que je prends cinq ou six semaines de vacances par année.

Souviens-toi que tu n'es pas toute seule

[Peu importe ce que l'on fait,] ça ne fonctionne jamais en solo. Ni au bureau ni à la maison. Je l'ai vu chez beaucoup d'entrepreneurs, c'est vrai pour moi aussi. Sans ton père, sans mes parents, sans toi, je n'aurais jamais été capable de faire ce que j'ai fait. Impossible. Quand je me suis présentée à la présidence du Mouvement, rappelle-toi, ça a été une décision familiale qu'on a prise ensemble, ton père, toi et moi. Parce que ça impliquait un engagement de temps, une disponibilité, des contraintes, qui allaient vous toucher vous aussi. Vous avez dû faire des compromis. À certains moments, quand j'étais moins là, ton père prenait le relais. C'était, en fait, un travail d'équipe. C'est la même chose au travail. Je suis à la présidence du Mouvement Desjardins, mais ma force et ma capacité à accomplir quelque chose dépendent de toute l'équipe qui m'entoure. Et puis, n'aie pas peur de demander conseil. Ce n'est pas toujours facile ; tu vas craindre d'avoir l'air fou, de laisser paraître une faiblesse. Mais ça vaut la peine. Moi-même, je sollicite des avis, j'écoute ce qu'on me dit. Ensuite, je rationalise et je prends ma décision.

Reprends le flambeau

[...] Une partie de mon travail consiste à inciter les femmes à prendre leur place, à poser leur candidature, puis, une fois qu'elles sont en poste, à les aider à assumer leur rôle. Ma génération a fait un bon bout de chemin, mais on n'a pas terminé encore, et c'est ta génération qui devra poursuivre le travail. [Dans plusieurs domaines,] il n'est pas normal que les femmes forment la moitié du bassin de candidats, et que seulement 10 % soient retenues en définitive. [Et donc,] il reste du travail à faire. Comme aussi dans les pratiques responsables en matière de gestion de la famille. Les portes sont plus grandes ouvertes pour toi, tu te heurteras à moins de barrières que moi, c'est clair. [...] Reste à continuer.[5]

. . . .

Anne-Sophie a lu l'article au moment de sa parution. Toujours directe et pratique, elle m'a dit, après qu'on lui en eut parlé à l'école : « Maman, je t'ai reconnue, car ce sont des choses que j'entends souvent et que tu appliques. Je le vois tous les jours. Et puis, c'est vrai que tu gardes l'équilibre en t'occupant de moi (même si, parfois, je pense que tu t'occupes un peu trop de moi... !). De toute façon, le conseil que je préfère est de choisir ce qui me rend heureuse. La vie est plus belle lorsqu'on est heureux. »

Pour ma part, je dois dire que le renouvellement de mon mandat m'a apporté beaucoup de bonheur et d'honneurs personnels, que j'ai accueillis humblement, comme d'immenses cadeaux. Qu'une femme ait réussi à faire reconduire son mandat de dirigeante d'une grande organisation financière et coopérative a probablement joué dans le fait que je sois saluée de manière distincte. En 2008, j'avais été une surprise publique. Quelques-uns s'étaient sans doute dit, je l'ai alors senti : « Elle va se planter », « C'est l'exception qui confirme la règle » ou « Attendons voir ! » Je n'ai jamais cherché à confirmer ce que j'avais deviné dans certains regards. Cependant, les récompenses dont j'ai bénéficié dans la foulée de ma réélection ont été, pour moi et pour les dirigeants qui m'ont fait confiance, des réponses. Je suis devenue membre de l'Ordre du Canada et Officière de l'Ordre national du Québec, j'ai reçu de nombreux diplômes *honoris causa* et plusieurs prix dans le domaine de la finance et des affaires, au Canada, aux États-Unis et en Europe. J'ai aussi été élue personnalité de l'année « championne des coopératives » par la revue *Forces*.

Chaque fois qu'on m'a décerné un diplôme honorifique, c'est à l'étudiante en musique que je pensais en premier lieu. J'avais travaillé si fort pour passer de la musique à la comptabilité ! Pour moi, l'éducation supérieure, c'est très, très important. J'ai un immense respect pour ce que j'appelle l'approfondissement universitaire et pour les sciences de façon générale, bien que je sois personnellement plus tournée vers l'action. Ainsi, le fait de recevoir mon premier doctorat honorifique de l'UQAC m'a profondément touchée, car c'était pour moi la reconnaissance d'une transition réussie et, surtout, un nouveau geste de confiance.

Il est de coutume de le dire, mais je le crois sincèrement : j'ai toujours voulu partager ces honneurs avec l'équipe de direction et les conseils d'administration du Mouvement, ainsi qu'avec l'ensemble de nos filiales. Certaines des personnes concernées ont depuis quitté leur poste pour des retraites bien méritées. Je me permets de les saluer ici, comme je l'ai fait publiquement au sein du Mouvement. Je pense à Jacques Dignard, premier vice-président Capital humain et Culture, et à Raymond Laurin, premier vice-président Finances, Trésorerie et chef de la direction financière : deux hommes dont l'engagement envers Desjardins fut profond et durable. Ils ont pris leur retraite du comité de direction et de Desjardins, comme l'ont aussi fait Bruno Morin, premier vice-président Gestion du patrimoine, et Marc Laplante, premier vice-président exécutif à la direction du Mouvement et directeur général de la Fédération, ainsi que Serge Cloutier, vice-président exécutif Soutien au développement coopératif et aux instances démocratiques. Chacun d'eux a su laisser sa marque, et je les remercie de leur travail. Quel plaisir j'ai eu au fil des ans à travailler avec tous les membres de l'équipe de direction et des conseils d'administration du Mouvement et des filiales !

En bonne comptable que je suis, j'ai interprété les marques de reconnaissance comme une appréciation du bilan du Mouvement, qui rejaillissait sur nos 43 000 employés. À la fin de 2011, nous avions pratiquement doublé nos excédents en quatre ans et avions remis plus d'un milliard de dollars dans la collectivité par le biais de commandites, de dons et de ces fameuses ristournes aux membres que l'on utilise trop souvent pour expliquer notre distinction coopérative, alors qu'il ne s'agit, à mon avis, que d'une manifestation parmi d'autres de notre action collective.

De toutes ces marques de reconnaissance, une me toucha directement au cœur. Elle me fut rendue par un très grand homme : Rosario Tremblay.

Né en 1910 (et malheureusement décédé en décembre 2015), monsieur Tremblay, qui n'a jamais cessé de participer à nos activités et de me transmettre régulièrement ses conseils et ses commentaires, fut une figure importante du Mouvement Desjardins. Il y a passé 50 ans de sa vie professionnelle et y a occupé plusieurs postes de direction. Il fut notamment le premier chef inspecteur des caisses populaires. Il a aussi représenté le Mouvement sur la scène canadienne et à l'étranger, il a été à l'origine de Développement international Desjardins (DID), et il a d'abord et avant tout été un homme de rigueur, qui a toujours compris la dimension financière de Desjardins à laquelle il alliait des convictions coopératives très fortes. Il le disait : « Monique, toi et moi avons des formations semblables comme CPA, et nous nous comprenons de façon directe, franche et sans artifice. » Après sa « troisième retraite », il a continué à travailler dans le monde coopératif. Jusqu'à tout récemment, centenaire, il poursuivait avec ardeur sa réflexion sur les façons d'adapter la formule coopérative à la société actuelle. Voici le mot qu'il m'adressa lors de l'assemblée générale du Mouvement en 2012 :

Madame la présidente,

Je veux vous rendre hommage et vous féliciter pour votre réélection à la présidence du Mouvement Desjardins. À mon âge, on sait que le monde est en perpétuel changement et que les coopératives doivent évoluer. Chaque génération doit relever le défi de l'adaptation à des circonstances nouvelles. L'important est de garder le cap sur les valeurs coopératives, de toujours placer les personnes avant l'argent et de travailler à bâtir un monde meilleur.

Encore une fois, mes plus sincères félicitations.

Rosario Tremblay

Ces mots empreints de sagesse me rappelaient à la fois l'essence du Mouvement et le fait que mon passage n'était qu'une présidence parmi d'autres dans cette grande épopée économique et sociale amorcée à Lévis.

Je lui dis merci pour toutes les notes qu'il m'a transmises et pour ses conseils. Il prenait le temps de m'écouter, puis il me remémorait certains principes coopératifs. Il a toujours été là pour appuyer le Mouvement et ses dirigeants, et pour mettre en valeur notre organisation et la faire rayonner. Merci, Rosario Tremblay !

Les sommets internationaux

L'année 2012 a été déclarée Année internationale des coopératives par l'ONU. Pour ma part, je trouvais que le monde coopératif demeurait encore méconnu du grand public. Pourtant, seulement au Canada, quelque 10 000 coopératives et mutuelles apportaient un important élément de stabilité et de pérennité économiques. Cent cinquante mille emplois en dépendaient, ainsi que de nombreux services essentiels pour les individus et les collectivités.

Nous ne pouvions pas manquer le rendez-vous que nous proposait l'ONU. Selon des chiffres publiés par l'Alliance coopérative internationale en 2008, les 300 plus grandes coopératives, tous secteurs d'activités confondus, généraient des revenus combinés de plus de 1 100 milliards de dollars américains — soit à peu près l'équivalent de l'économie canadienne. Leur poids économique était donc considérable. Évidemment, ces chiffres ont continué de s'accroître de façon importante au cours des dernières années.

C'est au Forum économique de Davos (WEF), qui réunit des dirigeants d'entreprises, des responsables politiques du monde entier ainsi que des intellectuels et des journalistes afin de débattre des problèmes les plus urgents de la planète, que j'ai eu l'idée d'une grande réunion internationale sur la coopération. En fait, c'est plus particulièrement lors d'une conversation avec Denis Richard, à l'époque président de la Coop fédérée et du Conseil québécois de la coopération et de la mutualité (CQCM), que tout a été déclenché, du moins pour ce qui est de l'idée et du projet.

C'était la première fois que je participais au WEF. J'avais observé que le réseautage y était omniprésent, dans le formel et dans l'informel. On parlait beaucoup de la crise financière mondiale et de l'importance des entreprises dans la création d'emplois, d'éthique, des organisations socialement responsables... Je prenais acte du fait que les coopératives devaient absolument faire partie de cette toile. Je me souviens de m'être dit : « C'est quand même assez incroyable : à part moi, un Européen et un Américain du mouvement coopératif, il n'y a personne du monde coopératif à Davos. »

Durant mon séjour, j'ai donné une entrevue à La Presse canadienne. On me demanda mes impressions sur ce grand forum économique mondial. J'ai alors évoqué qu'il serait important qu'il existe un tel événement pour les coopératives, car ces dernières font ce lien essentiel entre argent, capital et personnes. Il n'en fallait pas plus pour que paraisse une manchette disant que Monique Leroux voulait organiser un « Davos de la coopération » ! À mon retour, avec l'appui du conseil d'administration du Mouvement Desjardins, j'ai, en quelque sorte, repris la balle au bond.

Alors que j'avais été nommée sur un comité spécial formé par l'ONU pour l'Année internationale des coopératives, je me suis retrouvée à New York avec la présidente de l'ACI, dame Pauline Green, et nous avons convenu d'annoncer ensemble l'organisation d'un Sommet des coopératives à Québec pour souligner de façon exceptionnelle cette Année internationale des coopératives. C'était assez spécial : il s'agissait de ma première visite dans la grande enceinte des Nations unies et j'y faisais une conférence de presse !

Et voilà, le Sommet avait été lancé, à l'ONU de surcroît. Il ne restait maintenant qu'à l'organiser !

Chez Desjardins, nous avons mis sur pied une petite équipe et avons formé un comité-conseil avec, entre autres, des représentants de la Coop fédérée et d'Agropur. L'événement fut créé de toutes pièces, avec la participation du gouvernement du Québec, du gouvernement canadien et de nombreux commanditaires et partenaires.

Le Sommet de Québec allait permettre la rencontre d'intervenants essentiels. Il donnerait un poids médiatique plus grand aux coopératives, de même qu'aux enjeux globaux qui les concernent sur les plans de la réglementation, de la vie démocratique, de la capitalisation, de la croissance et du développement durable.

Le 8 octobre 2012, à la veille de l'ouverture officielle, la fébrilité était palpable. Toute l'équipe ayant travaillé à faire de cet événement un rendez-vous unique (j'en étais, et je me rappelle la réunion de coup d'envoi avec Stéphane Bertrand, directeur exécutif du Sommet, les collaborateurs, les bénévoles de Desjardins, etc.) attendait à Québec et à Lévis les représentants des coopératives et mutuelles du monde entier.

C'était le premier rassemblement du genre, et on le faisait chez nous, au Québec! Nous avons mis les bouchées doubles. Nous avons vu à de multiples détails qui nous apparaissaient primordiaux. Nous pensions à mettre la table pour l'après-2012, car le monde coopératif et mutualiste devait se servir de ce passage symbolique pour poursuivre sur sa lancée. Entre autres, nous tenions à ce que la couverture médiatique de l'événement soit importante : il était urgent de faire valoir au grand public la force que représentent les coopératives, soit plus d'un million d'entreprises, plus de 100 millions d'emplois et un milliard de membres. Je voulais que les citoyens saisissent bien leur capacité à résister aux périodes de crise économique, et démontrer que celles-ci sont un important facteur de démocratisation.

Pendant trois jours, conférenciers et experts, d'allégeance coopérative ou non, ont analysé le modèle coopératif sous toutes ses coutures. Deux mille huit cents représentants de coopératives et de mutuelles en provenance de 91 pays ont envahi les hôtels de Québec et de Lévis. C'était grisant. Stimulant.

Il fallait avoir la forme pour suivre le programme du Sommet, bien rempli, qui s'est articulé autour de trois grands thèmes : l'importance, la force et la pertinence du modèle coopératif dans le contexte socioéconomique actuel ; la performance et l'évolution du modèle coopératif ; et l'influence sociopolitique des coopératives et l'avenir réservé à ce modèle.

Je me souviens notamment des allocutions des deux économistes de réputation internationale Nouriel Roubini et Michael Spence, qui ont tracé un portrait de la situation : « Pas d'ambiguïté possible sur les perspectives mondiales, l'avenir est sombre », nous ont-ils dit. Leurs propos étaient teintés de la crise mondiale que nous venions de vivre — force est de constater que nous avons assisté à quelques percées de soleil inattendues au cours des dernières années —, mais ils avaient raison de vouloir réfléchir à une suite différente.

« À cause de l'instabilité que nous connaissons à l'échelle mondiale, estimait Spence, nous devons inventer un modèle de croissance qui tiendra compte de la disponibilité des ressources naturelles et d'une meilleure redistribution des richesses. Dans une nouvelle économie basée sur des valeurs éthiques, les coopératives ont un rôle important à jouer en raison de leur structure de propriété près des gens, de la participation démocratique, de leurs valeurs de diversité et d'inclusion, de l'accès équitable aux biens et services. » C'était de la musique à nos oreilles !

« La crise financière a démontré l'incapacité des marchés à s'autogérer. Cela a provoqué une crise de confiance, une crise de la pensée unique et du sens des actions économiques », est venue dire Antonella Noya, analyste principale des politiques à l'Organisation de coopération et de développement économiques (OCDE).

L'impressionnante Madeleine Albright, secrétaire d'État des États-Unis de 1997 à 2001, était aussi parmi nous. « Les gens aiment penser que les chefs d'entreprises sont en contrôle, mais ce n'est pas vrai. Il y a une rupture entre le capital et le travail. Certaines grandes entreprises sont plus soucieuses des autres investisseurs que des consommateurs. En général, les coopératives ont l'habileté de répondre aux besoins de leurs membres. »

Mon ami Michel Lucas en a remis : « On compare toujours le modèle capitaliste et le modèle coopératif. Mais le point de départ est différent. L'objectif du coopératisme est de donner des services à des gens qui se regroupent, et les besoins des membres sont le point de repère. Le capitalisme n'a plus de repères. »

Dame Pauline Green, présidente de l'Alliance coopérative internationale (ACI), n'y est pas allée par quatre chemins : « Ce que nous voulons, c'est être reconnus comme un modèle d'affaires sérieux et non comme un modèle de niche. À cet égard, nous manquons de statistiques. Nous devons tous faire l'effort de recueillir des données sur notre mouvement. Notre modèle a besoin d'être compris et reconnu par les grandes instances, notamment le Fonds monétaire international et l'Organisation mondiale du commerce.»

Je me rappelle que les mots de Riccardo Petrella, économiste, politologue, intellectuel en croisade, et quelquefois polémiste, en ont touché plusieurs: «Les coopératives ont dans leurs gènes le vivre-ensemble qui contribue à assurer la sécurité de tous. Les groupes dominants ont trahi ces règles, le profit étant leur priorité. Nous devrions établir un pacte coopératif mondial fondé sur la reconnaissance du droit à la vie.»

Nous avons aussi invité Rosabeth Moss Kanter, professeure émérite à la Harvard Business School, une femme exceptionnelle, très active, depuis longtemps reconnue comme une *leader* dans le monde universitaire. Cette intellectuelle a écrit un grand nombre de livres sur la gestion du changement et sur le *leadership*. Elle a été la pionnière de plusieurs programmes à Harvard, dont un programme de formation et de transition pour les chefs d'entreprises qui prennent leur retraite. Elle a également publié de nombreux livres, notamment sur la nécessité de rebâtir l'économie des États-Unis par les infrastructures. C'est une femme d'une énergie et d'une créativité exceptionnelles, et l'une des plus à l'affût des nouvelles technologies numériques. Sa conférence a eu l'effet d'une bombe. «Vous vous dites coopératifs, mais est-ce que vous êtes vraiment connectés avec les nouvelles communautés? Comment vous mettez-vous au pair avec les communautés virtuelles qui vont redéfinir les services et la connectivité entre les personnes ? [...] Et que faites-vous des nouvelles entreprises fondées par des entrepreneurs sociaux ? » Bref, elle a su stimuler l'auditoire, remettre en question l'ordre établi, les traditions, et stimuler notre capacité de penser autrement tout en revenant sur les aspects fondamentaux de la coopération.

Après le Sommet, elle m'a dit : « Le Mouvement Desjardins m'intéresse. Je n'ai pas encore d'entreprises coopératives comme la vôtre dans mes études de cas. Je voudrais intégrer le cas de Desjardins dans mon programme de MBA, mais à nos conditions de recherche. » Elle a ainsi demandé à son assistante de venir nous visiter chez Desjardins. Celle-ci a voulu rencontrer certaines personnes — c'est elle qui les a choisies — qui devaient répondre à ses questions et demandes. Elle a fait de l'observation, des entrevues et la rédaction du cas à partir de tout cela. Rosabeth Moss Kanter s'engageait à garder confidentielles les informations, mais n'acceptait aucune contrainte ni restriction de contenu. Son assistante a donc tout écrit et nous a transmis le texte final pour que nous validions certaines données. Mais, elle l'a précisé dès le départ : il s'agissait de leur lecture de la situation et des événements, et non de la nôtre !

Desjardins fait donc maintenant partie des sujets d'étude à Harvard, grâce à cette femme déterminée. Elle m'a d'ailleurs invitée à participer à ses classes du

MBA, lorsqu'elle présente le Mouvement et le «cas» qui porte sur la gestion du changement. Une expérience assez unique, que j'ai répétée à quelques reprises avec beaucoup d'intérêt. C'est assez stimulant d'avoir devant soi une classe de MBA à la Harvard Business School, avec des gens de partout dans le monde, durant plus de trois heures!

Le premier Sommet international des coopératives a été l'un des moments forts de ma vie professionnelle, ne serait-ce que parce que nous avons rédigé en présence de représentants de l'ONU une Déclaration commune, qui inspire dorénavant nos actions à travers le monde. En voici les grands énoncés:

ÉNONCÉ 1

En conclusion des constats établis et des discussions tenues à l'occasion du Sommet, les participants déclarent que les coopératives et les mutuelles sont des entreprises qui exercent un *leadership* dans le monde, sur les plans économique, social et politique, contribuent au développement durable et doivent mieux assumer ce *leadership*.

ÉNONCÉ 2

Le modèle coopératif et mutualiste est diversifié, performant et polyvalent. Il contribue activement à la participation et à l'intégration des personnes à l'économie et à la société, et aide à créer et à redistribuer une forme de richesse nécessaire au développement collectif. L'application du modèle coopératif à de nombreux secteurs d'activités (agriculture, santé, services financiers, etc.) et suivant différents liens d'usage (coopératives de consommateurs, de producteurs, de travailleurs, etc.) démontre la flexibilité et l'adaptabilité de ce modèle d'entreprise.

ÉNONCÉ 3

Le modèle coopératif et mutualiste sait évoluer et s'adapter aux conditions changeantes de l'environnement, et aux besoins des membres et de la communauté. Toutefois, tant la gouvernance que le mode de capitalisation particulier des coopératives et des mutuelles entraînent pour elles une gestion différenciée.

ÉNONCÉ 4

L'ensemble des coopératives et des mutuelles constitue une force sociale, humaine et économique indiscutable à l'échelle mondiale. Des efforts doivent cependant être consentis pour que ce mouvement acquière un poids politique plus appréciable.

C'est cette déclaration que j'ai eu l'honneur de présenter aux Nations unies, à New York, le 20 novembre 2012, devant plusieurs dignitaires réunis pour la cérémonie de clôture de l'Année internationale des coopératives. Je n'aurais jamais pensé me retrouver à l'ONU pour déposer une déclaration officielle formulée par les coopératives de la planète !

Peut-être que cette initiative, qui a eu une bonne visibilité et un grand impact dans le monde, en a dérangé certains au sein du Mouvement. Ils ont pu croire que je m'éloignais de la réalité du terrain avec tous ces penseurs venus de partout et ces cérémonies internationales. Or, le Sommet a été pour moi un moment exceptionnel d'apprentissage et de partage avec des dirigeants qui font face aux mêmes enjeux de croissance, de gestion, d'éducation et de gouvernance que Desjardins, et qui doivent parfois convaincre les gouvernements et les autorités de réglementation de la différence et de la pertinence du modèle coopératif. Pour plusieurs participants de Desjardins et d'autres groupes coopératifs, comme pour moi d'ailleurs, le Sommet a permis une réflexion sur nos fondements coopératifs, à l'heure de grands changements mondiaux. Cela a renforcé mes convictions de la nécessité d'une économie plurielle, où le modèle d'entreprise coopérative doit jouer pleinement son rôle.

Je crois que le fait que le coopératisme prenne plus de place sur l'échiquier économique international tient entre autres à des initiatives comme celle que nous avons menée avec le Sommet. Nous avons ajouté la voix de la coopération au développement de la planète. Désormais, nous sommes présents au B20 (Business 20). Nous nous faisons entendre au sein d'organisations internationales. Cela semble déstabiliser certains acteurs du monde coopératif, qui se demandent si nous sommes à notre place. Mais le fait que Desjardins soit parmi les meneurs dans l'avancement du modèle coopératif ne peut avoir que des retombées positives. Le Mouvement, en se positionnant de la sorte, bénéficie de tout ce qui se conçoit et se réalise en cette matière à travers le monde. Cela fait aussi en sorte que les gouvernements et les autorités de réglementation reconnaissent notre contribution et tiennent compte de nos différences. Et cela, tout en maintenant nos membres et clients au cœur de nos actions.

En 2014, nous avons organisé un deuxième sommet mondial, encore une fois à Québec, et qui a remporté le même succès. Deux ans plus tard, les effets de la crise économique et financière se faisaient toujours sentir. La reprise était faible, inégale et fragile. À certains endroits, la croissance était même anémique. On évoquait des risques de déflation.

Il me semblait important de lancer ce sommet par une déclaration d'ouverture qui mettrait la table pour des discussions sur de grands enjeux planétaires :

«Dans certaines régions du monde, la croissance est présente, mais son rythme a ralenti de façon notable. Même les pays émergents dont la croissance économique avoisinait ou dépassait les 10 % dans les années 2000 voient cette dernière pratiquement réduite de moitié. Cette situation persiste malgré des politiques monétaires très accommodantes et des taux d'intérêt presque nuls. La recette habituelle pour favoriser la relance ne semble plus fonctionner. Les finances publiques demeurent sous pression dans de nombreux pays, comme autant de volcans qui couvent. On ne réussit pas toujours à concilier austérité, rigueur et croissance économique.

La fragile relance de l'économie mondiale a aussi pour effet d'accentuer les inégalités de revenus et la crise de l'emploi. Cette crise touche les jeunes de plein fouet. Plus de 25 % des jeunes adultes dans le monde sont actuellement sans emploi. Certains parlent même d'une "génération sacrifiée".

À cette réalité s'ajoutent de grands défis. D'ici 2030, plus de deux milliards de personnes viendront gonfler les rangs de la classe moyenne dans les pays émergents et adopteront ses habitudes de consommation. Dans moins de deux générations, nous serons entre 9 et 10 milliards d'humains sur Terre.

La Banque mondiale nous dit par ailleurs que d'ici 15 ans, il faudra créer 600 millions de nouveaux emplois pour faire face à l'augmentation de la population mondiale. Aucun de ces grands défis ne pourra être relevé à l'échelle régionale ou nationale. Et les gouvernements ne pourront pas tout faire seuls. C'est à l'échelle internationale que la réponse doit s'organiser. Non pas dans l'affrontement et le chacun pour soi, mais, résolument, dans le dialogue et la coopération. »

Ce jour-là, j'ai affirmé avec fierté ma profonde conviction quant au fait que les entreprises coopératives et mutuelles sont parmi les mieux placées pour assumer une puissante influence dans ce contexte. Elles sont des entreprises responsables, guidées par le long terme, et qui, dans leurs décisions d'affaires, prennent en compte les individus, les communautés, l'économie et l'environnement. Elles travaillent pour les gens, dans l'économie réelle. Elles créent de la prospérité durable. De plus, dans un monde global, leur structure de propriété et de gouvernance est rassurante.

Notre monde a grand besoin de coopération, de vision, d'initiatives responsables. Il doit « verdir » son économie, viser une croissance plus respectueuse de l'environnement. En somme, l'idée est de penser le long terme et d'agir en conséquence. Pour la Terre qu'habiteront nos enfants. Les coopératives s'inscrivent pleinement dans la réalisation de ces grands objectifs des Nations unies.

Ces événements ont été des tribunes de discussion, de formation et d'échanges que nous avons grandement utilisées chez Desjardins. Plusieurs de nos partenaires et collègues coopératifs firent de même. Le Sommet international des coopératives est devenu un rendez-vous autant de réseautage que de partage de pratiques et de réflexions coopératives. Après discussion en interne ainsi qu'avec nos partenaires, nous avons décidé qu'un troisième sommet aura lieu à l'automne 2016, à Québec. Bien sûr, nous évaluerons ensuite l'après-2016, comme nous avions pensé au futur en 2012 et en 2014. D'autres pays nous ont déjà signifié leur intérêt…

Du plus grand au plus petit

Cette impulsion internationale allait m'amener à poser des gestes concrets au sein du Mouvement, en accord avec la vision coopérative et au bénéfice de nos employés et de nos membres. Une autre façon d'appliquer le « *think global, act local* » du rapport Brundtland, publié en

1987 par la Commission mondiale sur l'environnement et le développement (CMED) — le fer de lance d'un programme mondial de changements dans le domaine de l'environnement.

Je savais bien que mon travail ne se réduisait pas à réfléchir à l'avenir de la planète. Il fallait rester proche du réseau Desjardins, de nos membres et de nos employés, et continuer à défricher le terrain. C'est cette recherche d'équilibre qui m'a poussée à accepter la suggestion de Robert Marquis, mon conseiller privilégié en communications qui m'a si bien soutenue durant ma présidence, soit de varier le ton de mes communications. Nous avons décidé que la préoccupation pour nos membres et nos clients garderait toujours le haut du pavé.

Mes premiers mots à l'assemblée générale du Mouvement de 2013 furent donc les suivants :

> « Le 3 février dernier, un incendie a ravagé les installations de la Fromagerie St-Albert dans la communauté de La Nation, à l'est de l'Ontario. C'est l'une des plus anciennes coopératives franco-ontariennes. Elle a vu le jour en 1894. Trente-huit producteurs laitiers en sont membres.
>
> Les dégâts causés par le feu sont estimés à 25 millions de dollars. Cent vingt employés sont touchés par la situation.

Nous sommes proches de la Fromagerie St-Albert. En attendant sa reconstruction, la Caisse populaire Nouvel-Horizon (de notre réseau de caisses de l'Ontario) a mis une salle de travail à la disposition de l'équipe de direction de la fromagerie. La Caisse a aussi offert des accommodements à ses membres qui en sont des employés.

Le soutien de Desjardins s'est également manifesté par l'intermédiaire de son Centre financier agricole et agroalimentaire de l'Ontario, dont le directeur principal est en contact régulier avec l'équipe de direction de la fromagerie. Il demeure à l'écoute de leurs besoins et suit de très près l'évolution du dossier.

Cette histoire résume bien ce que nous sommes et ce que nous voulons être. Être proches des gens. Proches des entreprises. Les accompagner dans leurs projets, leurs réussites, mais aussi dans les périodes plus difficiles. Servir les membres et les clients avec notre expérience et notre cœur. Être, pour eux, les meilleurs. »

Cette histoire, comme d'autres, individuelles ou collectives, a marqué mes actions et nos communications, car elle est du type qui nous ramène à ce que nous sommes et à notre mission : servir le mieux possible nos membres et nos clients dans un contexte évolutif et équitable pour tous.

Avec cette introduction, nous étions bel et bien ancrés dans le concret, aux côtés de nos membres. Le traditionnel bilan de l'année précédente, avec lequel j'avais l'habitude de commencer mes allocutions, viendrait après.

Tout au long des mois et des années qui ont suivi, nous avons mis en action une série de petits gestes qui illustraient notre différence. J'étais totalement à l'aise avec ce positionnement : il correspondait à mes valeurs et à mes convictions.

Nous nous souvenons tous de Lac-Mégantic, où est survenue la tragédie ferroviaire qui a transformé le centre-ville en un énorme brasier et fait de nombreuses victimes. Nous avons relaté dans la *Revue Desjardins* la contribution de Martin à la suite de ce grave événement :

> « Martin Dugré donne des services d'assistance juridique par téléphone chez Desjardins Assistance depuis une dizaine d'années. Quelques heures après la catastrophe, sa gestionnaire et lui conviennent qu'il sera beaucoup plus utile sur place qu'au bout du fil. "Je suis arrivé à Lac-Mégantic le 10 juillet. J'ai d'abord présenté les services d'assistance concernant la liquidation de succession à des employés des caisses et du

centre financier aux entreprises afin qu'ils puissent bien informer les membres et les clients, puis je me suis installé dans un bureau de la Caisse des Hauts-Cantons pour recevoir des sinistrés. Les questions abordées allaient de la liquidation de succession à la prise en charge d'enfants dont les deux parents étaient décédés, en passant par les conséquences de l'absence de testament, ces derniers cas étant de loin les plus nombreux. Se retrouver dans une situation de deuil n'est jamais facile ; ce l'est encore moins dans un contexte comme celui-là, indique Martin. J'ai bien sûr informé les gens le mieux possible, mais je les ai surtout rassurés en leur disant qu'il était normal de ne pas tout retenir et qu'ils ne devaient pas hésiter à communiquer de nouveau avec notre service d'assistance." » [6]

Martin Dugré a passé cinq jours à Lac-Mégantic et est venu en aide à quelques dizaines de sinistrés. Les gens avaient besoin d'assistance sur place, sur-le-champ.

« La mobilisation de toutes les composantes du Mouvement était impressionnante. Desjardins était sur place dès les premiers instants ; c'était primordial, et cela a fait la différence auprès de nos membres et de nos clients. » [7]

Hors les murs

Ce type d'initiative nous a tous touchés, chez Desjardins, en nous ramenant à notre rôle citoyen, auquel nous tenons beaucoup. Nous devons nous impliquer dans nos communautés, quels que soient notre rôle et notre contribution.

Participer en tant que bénévole à des activités sociales, communautaires et économiques a toujours été très important pour moi. Étant donné mes fonctions, j'en ai eu l'occasion des centaines de fois, mais je n'ai malheureusement pas pu toutes les honorer. J'ai tout de même essayé d'aider le plus souvent possible.

Certaines de ces expériences auxquelles j'ai participé sont restées gravées dans ma mémoire. Je pense entre autres au Chantier ressources humaines de Finance Montréal, que j'ai dirigé de 2012 à 2014 et qui a mené à la création du Centre d'excellence en finance du Québec. Je pense également aux nombreux courriels d'administration, que ce soit à l'OSM, à HEC ou aux nombreuses campagnes de financement et soirées-bénéfice !

J'ai déjà mentionné mon implication auprès de la Fondation de l'Institut de cardiologie de Montréal. Nous avons accompli tant de travail avec tous les bénévoles, les membres des conseils d'administration et les gouverneurs. Et pour les présidents qui se sont succédé au conseil, comme Jacqueline Boutet, Claude Blanchet, France Chrétien-Desmarais et moi-même, que de réalisations collectives dans l'intérêt des patients, des chercheurs et de tout le personnel de l'Institut ! Ensemble, nous avons fait de grandes choses au profit d'un institut de classe mondiale.

Comme présidente du Conseil québécois de la coopération et de la mutualité (CQCM), j'ai participé, de 2012 à 2015, à la création d'un premier plan stratégique du mouvement coopératif québécois, avec celui qui deviendrait son directeur général, Gaston Bédard, et sa petite équipe. Merci, Gaston, pour ton travail et tes convictions. Accompagnés par Denis Richard, Serge Riendeau et plusieurs autres, nous avons réussi à inspirer la confiance nécessaire pour regrouper l'ensemble des forces coopératives canadiennes en une seule organisation, Coopératives et mutuelles Canada (CMC). Sans nul doute, la présidence du CQCM et mon implication au sein du CMC m'ont permis d'approfondir ma connaissance et ma compréhension des milieux coopératifs québécois et canadien, et, forte de cette expérience, je suis parvenue à mieux saisir ce qui se passait dans le secteur coopératif mondial.

Les caisses et le Mouvement soutiennent depuis longtemps les Jeux du Québec ; sans nous, je crois que les Jeux auraient connu des moments très difficiles. Après discussion et entente avec les caisses de la région de Sherbrooke, et avec l'appui de Denis Paré, Patrice Breton et Suzanne Gendron, de Desjardins, j'ai accepté la présidence des Jeux du Canada qui se tenaient dans cette ville en août 2013. Nous avons formé un conseil des gouverneurs et un conseil d'administration qui ont fait un travail formidable. J'ai été appuyée plus particulièrement par Denis Paré, vice-président du conseil du Mouvement et président du Conseil régional des Cantons-de-l'Est, et par Tom Allen, responsable (désormais à la retraite) des sports à l'Université Bishop. Même si, au moment où on a sollicité ma participation, les organisateurs de l'événement faisaient face à certains défis financiers, nous avons réussi de grands Jeux pour les jeunes athlètes et leurs parents, et nous avons remis plus de deux millions de dollars de nos excédents à une fondation pour les jeunes sportifs de la région. Nous avions une solide équipe de gestion, sous la direction ferme et expérimentée de Luc Fournier. Ce fut un immense travail d'équipe impliquant plus de 6 000 bénévoles et tous les intervenants de la région. La coopération était à l'honneur, et cela a été une expérience inoubliable de voir ces milliers de jeunes sportifs et autant de bénévoles ! Tous les intervenants, les maires de la région, les universités, les collèges et écoles, les hôtels, les restaurants et la population étaient au rendez-vous. Quelle superbe expérience collective : celle d'une grande communauté qui se mobilise pour les jeunes !

La campagne 2014 de Centraide du Grand Montréal a été pour moi un autre magnifique moment de solidarité. Nous l'avons lancée par la traditionnelle marche aux 1 000 parapluies dans les rues de la ville ; les

1 000 parapluies aux couleurs de Centraide affichaient ainsi des messages d'espoir dans des lieux publics, des entreprises et des organismes communautaires du Grand Montréal. Nous invitions les gens à les utiliser, à se photographier avec eux et à partager leurs photos dans les médias sociaux en les accompagnant du mot-clic **#OnCentraide** afin d'exprimer leur soutien. L'idée était de rappeler combien l'action des donateurs et des organismes du réseau de Centraide est importante pour protéger ceux et celles qui ont besoin d'aide — et ils sont nombreux à Montréal.

Cette campagne nous a tous fait du bien. Elle nous a permis de travailler avec plusieurs personnes de la communauté de Montréal. Quant à moi, j'ai eu le plaisir de coprésider cette campagne avec Elliot Lifson, vice-président du conseil chez Vêtements Peerless. Nous avons aidé l'équipe de Centraide à amasser 55 millions de dollars cette année-là. La campagne s'est terminée par une séance de *spinning* au Complexe Desjardins. Quelle ambiance, et quelle façon originale et active de clôturer la campagne !

De toutes mes fonctions *extra-muros*, il y en a une qui, sans aucun doute, sort de l'ordinaire. On m'a demandé d'agir comme lieutenante-colonelle honoraire du Régiment de la Chaudière de l'armée canadienne. Après consultation en interne, j'ai accepté cette offre, un peu par tradition, comme l'ont fait plusieurs dirigeants de Desjardins, mais aussi pour des raisons familiales.

230 MA VIE EN MOUVEMENT

La relation du Mouvement avec les forces militaires remonte à Alphonse Desjardins. Il a étudié à l'École militaire de Québec, une formation qui lui a valu le grade de sergent-major. En 1871, il s'est volontairement engagé à renforcer la défense canadienne à la frontière du Manitoba.

Des années plus tard, le sénateur Cyrille Vaillancourt, qui a présidé le Mouvement pendant 37 ans, a successivement été lieutenant-colonel du Régiment de Lévis et colonel honoraire du Régiment de la Chaudière. Plusieurs dirigeants de Desjardins se sont par la suite impliqués dans les Forces canadiennes à différents niveaux. Par ailleurs, nous avons une caisse militaire très active. Bref, il y a un certain lien qui s'est créé avec les Forces au fil de l'histoire du Mouvement.

Je n'ai personnellement rien de militaire, et je n'avais jamais participé à une quelconque formation ou activité de l'armée. J'étais donc surprise de cette sollicitation, comme je l'ai confié à Hubert Thibault, vice-président Affaires institutionnelles et Direction du Mouvement, qui était avec moi lors de cette rencontre. Après discussion avec lui, j'ai accepté de laisser mon nom dans la liste des candidatures, en me disant en mon for intérieur que les probabilités d'être nommée étaient très faibles.

Cette fonction honorifique avait un caractère particulier pour ma famille : mon beau-père, le capitaine Gérard Leroux, a servi comme officier d'intelligence dans le

Régiment de la Chaudière lors du débarquement de Normandie. C'est en pensant à lui que je me suis dit : « On verra bien ce qui arrivera ! »

Et voilà qu'en décembre 2013, j'ai reçu une lettre me confirmant ma nomination et m'indiquant que je représenterais le Régiment de la Chaudière lors des célébrations commémoratives du 70e anniversaire du Débarquement !

Nous avons vécu un grand moment d'émotion, le 6 juin 2014, alors que je participais aux cérémonies de ce 70e anniversaire, à Bernières-sur-Mer. J'y étais avec Marc et la famille proche — Jacques, Carmen, Pierre Leroux et son épouse, Julie —, au milieu de nombreux vétérans et dignitaires. J'ai eu le privilège d'y lire un extrait du journal de mon beau-père, écrit le 6 juin 1944 :

> « Devant ce mur d'acier, on est là, des milliers d'hommes, mêlés à une aventure extraordinaire dont on désire voir la fin au plus tôt. Chacun d'eux est aussi nécessaire que l'autre pour l'ensemble des opérations, mais, pris individuellement, il ne vaut pas grand-chose. »

Ces mots, en plus de nous rappeler notre devoir de mémoire, font ressortir de façon dramatique l'absolue nécessité du travail d'équipe.

Est-ce une coïncidence ? Nous étions avec des dirigeants du Crédit Mutuel, notamment Alain et Annick Fradin, dont les familles ont vécu le Débarquement, accompagnés de Michel Lucas et de Catherine, entre autres. Nous nous sommes recueillis en mémoire de nos familles respectives et de celles de tous les Français et Canadiens qui ont souffert ou se sont sacrifiés durant la guerre.

L'engagement au développement durable

C'est aussi au cours de mon deuxième mandat que je me suis intéressée de plus près aux questions de développement durable et de protection de l'environnement.

Je ne peux penser à ces thèmes sans que me vienne en tête notre Secrétaire générale, Pauline D'Amboise, qui a épousé la cause de l'environnement avec passion et conviction il y a plusieurs années. Pauline m'a par ailleurs accompagnée dans tous les dossiers. C'est une femme engagée qui a vraiment le cœur vert. Merci, chère Pauline, pour tout ce que tu es !

Pour ma part, avec les voyages fréquents que j'ai effectués à travers le monde, j'ai pris conscience de la fragilité de notre planète. D'ailleurs, c'est à mon arrivée à Beijing en février 2014, où j'allais pour une réunion de l'Alliance coopérative internationale, que j'ai réalisé qu'il fallait, tant chez Desjardins que dans l'ensemble du mouvement coopératif, mettre les bouchées doubles en matière de développement durable. Que de pollution ! Et quelle difficulté nous avions à voir le ciel et à respirer! Je me souviens de cet immense nuage de pollution que nous pouvions voir en suspension dans les airs, et ce, plus d'une heure avant d'atterrir. Cela m'a marquée. D'autant plus que nous disposons de moyens pour intervenir en la matière, directement et indirectement. Par exemple, le Mouvement Desjardins possède un parc immobilier important. Chacun de nos immeubles nous fournit une occasion de penser au développement durable. Comme plusieurs, je croyais que nous devions utiliser ce levier pour améliorer notre identité environnementale.

Le réseau a ainsi commencé à modifier ses pratiques en matière de construction et de rénovation. En parallèle, l'ensemble du Mouvement s'est préoccupé plus activement de son engagement vert. Par le biais de notre caisse de retraite et de nos compagnies d'assurances, nous nous sommes engagés dans l'éolien et avons amorcé la décarbonisation de nos investissements. Les détenteurs de portefeuilles de placements se sont aussi vu proposer des choix écologiques, et nos membres et assurés, une offre de financement et d'assurance verte. Il y a là un immense levier d'action positive et concrète pour le mouvement coopératif et mutualiste. Je suis heureuse que Desjardins se soit engagé dans cette direction, car nous pouvons et nous devons faire bouger les choses pour rendre les marchés financiers proactifs et plus responsables.

Pour ma part, j'ai cru important de participer à la revitalisation de notre siège social de Lévis, que nous appelons la Cité Desjardins de la coopération.

La Cité, installée sur 1,2 million de pieds carrés, regroupe les sièges sociaux de la Fédération et de nos compagnies d'assurances, l'Institut coopératif Desjardins, le nouveau 150, rue des Commandeurs, et la place de la Coopération, inaugurée en 2015. Il s'agit d'un concept assez unique au Canada. Pour le développer, nous avons fait appel à certains éléments pensés par les présidents Vaillancourt et Rouleau lorsque le projet avait initialement été lancé, en 1958. Ce projet immobilier correspondait bien à certains besoins financiers de nos compagnies d'assurances, pour qui des « actifs immobiliers » sont parfois utiles à des fins d'appariement et de gestion des portefeuilles de placement.

Le « 150 », comme nous l'appelons communément, où plus de 1 500 personnes travaillent, a été l'occasion de nous doter d'une signature écoresponsable affirmée. Il s'agit d'un immeuble de 15 étages, chauffé et climatisé grâce à 23 puits géothermiques de 600 pieds de profondeur, et couvert de toitures végétales contribuant à la réduction des îlots de chaleur. Nos gestionnaires et l'équipe responsable du projet y ont fait installer le plus haut mur végétal intérieur du monde, un aménagement hydroponique traversant les plafonds des 15 étages de l'immeuble. L'œuvre s'appelle *Les courants* et est inspirée du fleuve Saint-Laurent, que l'on peut admirer du haut de l'édifice, situé sur la colline surplombant le centre-ville de Lévis. La vue à 360 degrés donnant sur Québec, Charlevoix, la Beauce, les Appalaches et Lévis y est unique ! Nous avons aussi voulu créer des espaces simples, modernes, écologiques et ouverts pour favoriser l'éclairage naturel et la luminosité. Cet immeuble est très agréable et pratique, avec ses couloirs qui le relient aux autres édifices de la Cité Desjardins.

Toujours dans l'optique du développement durable, nous avons aménagé la place de la Coopération, qui fait partie de l'ensemble et qui, avec ses 12 000 mètres carrés, constitue la plus grande aire de repos extérieure de la Cité. Nous l'avons réalisée grâce à une aide financière d'un million de dollars provenant de la Ville de Lévis — d'ailleurs, la réalisation de l'ensemble du 150 et de son environnement n'aurait pu se faire sans le soutien et la coopération de la Ville. Nous y avons installé le monument Alphonse-et-Dorimène-Desjardins, œuvre de la sculpteure Pascale Archambault dévoilée à l'occasion du 100e anniversaire du Mouvement. Nous avons aussi accordé une attention particulière au recyclage de différents matériaux de l'ancien édifice, comme le granit et le bois.

Les bureaux de Développement international Desjardins et l'ensemble de nos archives furent déplacés au 59, avenue Bégin, à Lévis, dans l'un des premiers édifices de Desjardins, construit en 1949-1950. Une exposition permanente et des expositions temporaires y sont présentées. Elles suscitent l'intérêt des élèves, mais surtout des visiteurs étrangers qui viennent régulièrement nous rencontrer. Nous avons des archives fort intéressantes, qui datent de l'époque d'Alphonse et de Dorimène Desjardins, et qui nous conduisent à travers l'évolution de Desjardins, au Québec et au Canada. Avec la Société historique Alphonse-Desjardins, j'ai tenu à protéger notre histoire et à faire numériser nos archives. À mon avis, il est impossible de se projeter dans l'avenir sans connaître son passé !

Je voulais faire de notre siège social un lieu inspirant et moderne, tourné vers l'avenir. Je voulais qu'il soit le symbole de la préoccupation de Desjardins d'avoir une présence forte et active sur l'ensemble de son territoire : une terre où la coopération a un ancrage historique.

Dans la foulée de ces gestes structurants et durables, la relance de l'Institut coopératif Desjardins (ICD) — l'université d'entreprise du Mouvement — est une autre fierté. Nous en avons longuement discuté au sein de la direction et avec le CA. Voué à l'apprentissage des dirigeants, des gestionnaires et des employés du Mouvement, l'ICD offre des programmes axés sur nos enjeux et besoins de formation. Lieu unique, à la fois physique et virtuel, c'est une école fondée sur le partage de connaissances techniques et humaines. Elle vise à renforcer le savoir-faire et le savoir-être coopératifs. Plus précisément, on y apprend l'histoire de Desjardins et sa culture, ses pratiques d'affaires, son modèle de performance et son modèle coopératif. Entre 2012 et la rédaction de cet ouvrage, plus de 50 000 dirigeants, gestionnaires et employés du Mouvement Desjardins ont pu y partager leur savoir avec d'autres. Par ailleurs, il est de notoriété publique qu'il y a toujours eu certaines tensions au sein du Mouvement, entre Montréal, Lévis et les diverses régions du Québec et de l'Ontario. De fait, dans toutes les grandes organisations, une compétition oppose souvent le centre et sa périphérie. Dans notre cas, cela s'exprime un peu différemment.

Encore trop de gens ont peur qu'un jour Desjardins se déplace vers Montréal, un peu de la même manière que ceux qui craignent que Montréal perde des sièges sociaux au profit de Toronto ou de Calgary. À l'ère de la mondialisation et du numérique, ces clivages auront tendance à disparaître. Or, par des gestes significatifs, originaux et utiles à Lévis, lieu de naissance du Mouvement où l'on peut visiter le musée Alphonse-Desjardins attenant à la résidence de monsieur Desjardins, je crois que nous avons signifié avec force que, chez nous, il n'y a pas de grand ou de petit : il n'y a qu'un Mouvement tourné vers l'essor économique, social et environnemental de notre société. Un Mouvement qui sait s'adapter et évoluer, tout en étant fidèle à ses racines.

D'ailleurs, la création du Centre de services partagés (CSP) Desjardins a été l'occasion de concrétiser notre volonté de soutenir l'économie des régions, y compris en y situant certaines de nos activités. En 2013, nous annoncions qu'une douzaine de sites, au Québec et en Ontario, accueilleraient des équipes de notre nouveau CSP.

Parlant de Montréal…

Présider le Mouvement Desjardins nécessite une grande écoute, de bons conseillers et beaucoup de doigté. J'ai eu besoin de tout cela pour arriver à établir un équilibre entre nos différents axes de développement et nos priorités !

L'accord parfait n'existe pas. Il est donc fondamental de savoir accepter la critique en se disant que, si l'objectif est de prendre la meilleure décision à long terme pour le bien de l'organisation, les gens comprendront. Peut-être pas tout de suite. Mais, avec le temps, ils apprécieront les choix qui ont été faits, même s'ils sont parfois difficiles à accepter à court terme. Il faut donc avoir la patience d'expliquer ses objectifs et d'écouter les préoccupations de ceux et celles qui s'interrogent et qui veulent mieux saisir les enjeux courants.

La région de Montréal doit jouer un rôle crucial dans le développement du Mouvement au Québec. Il s'agit d'un marché en croissance. C'est là que s'établissent majoritairement les nouveaux arrivants qui choisissent le Québec comme terre d'accueil. C'est aussi le port d'attache de nombreux jeunes, professionnels et gens d'affaires. En somme, Desjardins ne peut pas passer à côté de Montréal s'il veut poursuivre sa croissance au

Québec et dans le monde. La région de Montréal doit être pour le Mouvement un point d'ancrage fort et un foyer de croissance du nombre de membres afin d'assurer sa pérennité. Et cette question n'est pas nouvelle ; même ce cher Alphonse Desjardins s'en préoccupait dans les années 1900…

Durant mon deuxième mandat, en accord avec nos instances régionales et le conseil du Mouvement, nous nous sommes donné les moyens de nos ambitions, et une équipe a été dédiée au développement structuré de notre présence dans le Grand Montréal.

Nous nous sommes dotés d'un budget d'investissement qui nous a permis de mettre en œuvre nos stratégies : par exemple, ouvrir des points de service dans les zones où le potentiel de développement est important. Notre objectif consistait à aller chercher plus de 200 000 nouveaux membres d'ici la fin de la décennie, en visant un accroissement de notre présence là où elle est plus discrète, notamment chez les jeunes et les nouveaux arrivants.

Afin de nous démarquer et de nous adapter à l'environnement montréalais, nous avons innové et avons décidé d'expérimenter des approches différentes, avec des façons plus différenciées d'attirer ces nouvelles clientèles.

Une vitrine mobile — c'est-à-dire un mini-point de service pouvant être déplacé en divers endroits — a été créée. Par exemple, nous l'installons dans les grands événements dont nous sommes les partenaires. Nous avons aussi aménagé des espaces « 360^d ». Le premier a ouvert ses portes à la rentrée de l'automne 2014, à proximité de Campus Montréal (qui regroupe l'Université de Montréal, HEC Montréal et Polytechnique). Ce nouveau modèle a ensuite été implanté à Concordia et à l'UQAM. Nous pourrons utiliser cette approche ailleurs dans notre grand réseau, près de cégeps ou d'universités. Au fond, il s'agit d'un lieu pour les jeunes, tourné vers l'humain et la technologie, dans un environnement convivial.

Guy Cormier, premier vice-président Réseau des caisses et Services aux particuliers, a piloté avec beaucoup d'engagement et de détermination les changements dans le réseau des caisses, l'évolution de nos services AccèsD et le déploiement de ces nouveaux modèles de points de service dans le Grand Montréal. Guy a su mobiliser un grand nombre de dirigeants et de collaborateurs grâce à ces nouvelles initiatives.

Nous avons aussi fait du Complexe Desjardins — l'une des plus importantes vitrines du Mouvement à Montréal, qui a sa propre histoire et qui est un site stratégique — un endroit encore plus attrayant en transformant sa façade extérieure ainsi que l'environnement d'accueil de la tour sud, où nous avons créé un lieu public novateur, interactif, branché, moderne : le Desjardins Lab et l'Espace Carrière Desjardins. Il s'y déroule en continu plusieurs activités, en interne ou avec des partenaires. Et nous avons un plan de revitalisation de la façade Sainte-Catherine ainsi que de la place centrale du Complexe, qui se réalisera d'ici 2020. Car il me semble essentiel que le Complexe, inauguré en 1976, puisse continuer de s'adapter à un environnement de plus en plus dynamique, lui qui est en plein cœur du Quartier des spectacles.

À la fin de 2014, j'ai signifié à la Chambre de commerce de Montréal notre intention d'investir dans la région 100 millions de dollars au cours des cinq prochaines années. L'objectif : devenir le joueur financier dominant dans le plus important marché du Québec.

Pour souligner l'importance que j'ai accordée à Montréal durant mes années de présidence, nous avons annoncé en octobre 2015 que nous allions installer un centre de gestion de nos opérations dans le mât du Stade olympique — on l'appelle maintenant la Tour de Montréal —, qui était en grande partie inoccupé. Cet investissement amènera plus de 1 000 de nos employés, la plupart répartis dans différents bureaux de l'est de Montréal, à dynamiser ce lieu emblématique. À cela s'ajouteront le repositionnement et l'agrandissement des espaces pour nos équipes de services de cartes et de monétique au 450, boulevard De Maisonneuve, tout près du Complexe.

La présence de grandes entreprises contribue aux investissements privés et à l'amélioration des espaces — c'est là une preuve que le développement économique est essentiel au développement social. Ces projets immobiliers et technologiques créeront de nouveaux espaces agréables et efficaces pour nos employés et nos membres, mais aussi pour les communautés les entourant. Voilà une belle manière de participer à un environnement urbain qui se modernise !

Le 375ᵉ anniversaire de Montréal

L'année 2017 est à nos portes. Ce sera le 375ᵉ anniversaire de Montréal. L'implication de Desjardins dans la préparation des célébrations de 2017 est importante, entre autres avec le projet VIVA MTL, que nous avons annoncé à l'automne 2015. Nous voulons, chez Desjardins, mettre en valeur des *leaders* inspirants qui ne sont pas très connus, mais dont l'apport est fondamental dans leurs communautés. Le succès d'une ville passe par l'engagement des citoyens qui y vivent.

C'est dans ce contexte qu'à la fin de 2014 j'ai été invitée par le maire de Montréal à présider un groupe de travail pour alimenter la réflexion sur le statut de métropole. J'ai eu le privilège d'animer les discussions tenues entre des représentants de la société civile reconnus pour leur implication. Y participaient Léopold Beaulieu, Laurence Bherer, Stephen R. Bronfman, Gilles Julien, Éric Lamarre, André Maltais, John Parisella, Louise Roy et Claude Séguin. Nous avons été appuyés par Hubert Thibault, un collaborateur de confiance de Desjardins, et Alexandre Ramacieri, de CGI. Toute la direction générale de la Ville nous a également aidés dans nos travaux.

Un an plus tard, après de nombreuses rencontres et discussions, nous avons remis notre rapport «Une métropole prospère et inclusive pour un développement durable», dans lequel nous avons fait des recommandations concrètes et identifié quatre grands secteurs stratégiques qui, selon nous, devraient être au cœur d'une vision porteuse pour Montréal, ville ouverte sur le monde.

Le premier de ces secteurs est celui du savoir et de l'innovation. Une ville de savoir regroupe des créateurs et des entrepreneurs, en plus de compter sur un milieu de l'enseignement supérieur dynamique. Onze établissements universitaires et leurs 184 000 étudiants, 12 collèges publics regroupant 55 000 étudiants : l'agglomération de Montréal est sans contredit un centre d'études supérieures de première importance. À ce domaine correspondent 91 000 emplois et une contribution au PIB de la métropole évaluée à 5,5 milliards de dollars en 2011.

En outre, des chercheurs de renom venant de partout dans le monde sont attirés par Montréal. On parle de 12 000 chercheurs pour les secteurs pharmaceutiques, des technologies médicales et de la biotechnologie, qui représentent aussi 45 000 travailleurs hautement scolarisés et bien rémunérés.

La présence d'institutions de savoir, de recherche et d'innovation distingue Montréal des autres villes. Ces établissements sont essentiels à notre vision à long terme du développement économique; ils sont vitaux à mes yeux, moi qui ne cesse de prêcher pour une plus grande place pour l'éducation dans notre société.

En second lieu, notre groupe a déterminé que Montréal devait se voir comme une ville de culture au cœur de l'économie numérique. Jeux vidéo, effets spéciaux, édition de logiciels, services informatiques, télécommunications; la ville s'est taillé une réputation d'envergure internationale en tant que centre d'expertise de ce secteur. Elle est d'ailleurs devenue en quelques années le quatrième pôle mondial dans le domaine des effets spéciaux pour le cinéma.

Les entreprises du secteur des technologies de l'information et de la communication (TIC) emploient aujourd'hui 93 000 personnes dans la région métropolitaine, et leur contribution à son PIB se chiffrait à plus de 10 milliards de dollars en 2012. Elles sont aussi d'importants contributeurs en recherche et développement (R-D) au Canada et au Québec. Qui plus est, des 30 entreprises investissant le plus en R-D au Canada, 10 appartiennent au secteur des TIC et sont installées dans la région de Montréal.

Le troisième secteur que nous avons identifié est celui des transports. Depuis sa fondation, Montréal est un point de convergence des trajets (qu'ils soient routiers, ferroviaires, maritimes ou aériens) au nord-est de l'Amérique. La ville peut et doit redevenir une véritable plaque tournante, efficace et dynamique, pour tous les modes de transport — même si l'amélioration de nos infrastructures cause actuellement de nombreux soucis !

Dans ce domaine, des entreprises de renommée mondiale et des sièges sociaux d'importance contribuent à la richesse de la métropole. La branche de l'aérospatiale, par exemple, emploie 42 000 personnes ; celle de la logistique et des transports, 122 000 personnes. Les transports en commun font quant à eux travailler 15 000 personnes à Montréal.

Avec Hydro-Québec, nous disposons d'une expertise de haut niveau dans la production d'hydroélectricité. Nous pouvons donc caresser des rêves ambitieux quant à l'électrification du transport collectif et envisager le développement d'une filière industrielle de véhicules électriques.

Enfin, le secteur qui complétait notre vision du développement de Montréal était celui de la finance et des assurances, qui représente une part importante de l'activité économique de la métropole en générant plus de 100 000 emplois. Sa contribution au PIB de la région est évaluée à 13 milliards de dollars. Selon le Global Financial Centres Index publié en mars 2015, Montréal se classe au 18e rang mondial pour la compétitivité de son secteur financier, devant des villes comme Dubaï, Tel-Aviv, Beijing et même Paris. Elle peut tirer profit de précieuses collaborations entre le secteur de la finance et celui des technologies de l'information, et compte sur 2 000 nouveaux diplômés spécialisés qui sortent de ses universités chaque année. Elle peut aussi s'appuyer sur des entreprises financières importantes à l'échelle canadienne qui ont convenu de travailler ensemble sous la bannière de Finance Montréal.

Notre rapport était enrichi de 35 recommandations visant entre autres à ce que Montréal puisse elle-même prendre plusieurs types de décisions opérationnelles qui exigent actuellement l'approbation de Québec, qu'elle puisse agir sur sa propre gouvernance, se charger de certains programmes provinciaux et obtenir les ressources financières requises à son développement. Pour résoudre la question des revenus, le Comité a proposé un transfert direct d'un pourcentage de la TVQ perçue sur le territoire montréalais, une demande qui aurait l'avantage de n'imposer aucun fardeau additionnel aux contribuables et qui serait justifiée par la passation à Montréal de responsabilités qui incombent pour le moment au gouvernement du Québec.

Présider ce groupe de travail représentait un défi stimulant et un véritable honneur pour moi. Les problématiques municipales ont toujours fait partie de mes priorités, car c'est dans les villes que se joue en grande partie notre avenir. Je servais la collectivité une fois de plus, comme je l'avais fait lorsque j'étais présidente de l'Ordre des comptables. Ce fut une expérience inspirante, que j'ai vécue dans la bonne humeur.

En accord avec le maire et la présidente du conseil d'administration du 375e de Montréal, j'agis désormais comme présidente du Conseil des gouverneurs de ces célébrations. Plusieurs représentants de la communauté d'affaires et de la société civile sont à la table de ce conseil qui travaille à déterminer et à structurer un legs pour Montréal, au-delà de 2017. J'ose espérer que nos efforts toucheront l'un ou l'autre des quatre secteurs stratégiques identifiés par le rapport de notre groupe de travail.

Mon dernier congrès

Le 19 septembre 2015 s'amorçait le 22e congrès d'orientation du Mouvement Desjardins au Palais des congrès de Montréal; c'était mon troisième et dernier congrès à titre de présidente. Jamais je ne me suis lassée de ces événements qui caractérisent le Mouvement. Jamais je n'ai cessé d'apprécier la présence dynamique et vibrante de mes collègues, des gestionnaires et des dirigeants élus qui composent notre communauté « verte ».

Sept heures. Les gens arrivaient de partout par ce beau samedi matin ensoleillé et chaud, alors qu'ils auraient pu être avec leurs proches en Gaspésie, dans les Cantons de l'Est ou à Sudbury. Plus de mille personnes ont répondu « présent » pour ce congrès d'une journée.

En entrant, j'ai remarqué qu'il y avait des femmes et des jeunes à presque toutes les tables. J'étais heureuse de cette diversité nouvelle. C'était là une grande évolution, et elle avait été stimulée par les orientations du congrès de 2013 ! Je l'admets, cela me faisait un petit velours.

Chaque table de discussion était composée de huit personnes provenant de toutes les régions du Mouvement. Ces personnes ne se connaissaient pas toujours. Au cours de la journée, elles allaient apprendre à comprendre les réalités des uns et des autres et discuter des questions à l'ordre du jour.

L'événement était privé, hors des feux de la rampe. Mille cent quinze délégués officiels voteraient individuellement, en leur âme et conscience, tout au long de la journée, armés d'un cahier de propositions de 50 pages et d'une télécommande. Pour 30 % d'entre eux, ce serait une première — en soi, cela constitue une preuve du renouvellement continuel de notre Mouvement.

Dans la salle, les délégués pouvaient suivre le déroulement du congrès grâce à une plate-forme Web spécialement conçue pour l'occasion. Ils pouvaient y réagir sur toute question ou déclaration et, ainsi, fournir en direct leurs commentaires.

On m'a placée au centre de l'auditoire. Au-dessus de moi se trouvait un énorme cube blanc sur lequel on projetait toutes sortes d'informations concernant les sujets discutés, ainsi que des interventions de nos membres qui avaient répondu à nos questions. Bien sûr, j'étais heureuse, car l'ambiance était positive. Les délégués avaient hâte de discuter, de faire leurs commentaires et de se positionner. La musique choisie par l'équipe invitait au calme et à la sérénité. Sur les panneaux de tissu blanc qui encerclaient la salle glissaient des rayons lumineux formant une enceinte verte, ce qui, avec beaucoup de simplicité, rappelait les couleurs de Desjardins.

Comme pour tout congrès, il y avait une certaine fébrilité dans l'air. À huit heures, les gens étaient bien assis, disciplinés. En attente. L'équipe d'organisation du congrès, elle, était prête; déjà aux aguets. Alban D'Amours était présent, tout comme des représentants du Crédit Mutuel de France, du Groupement européen des banques coopératives, du Conseil québécois de la coopération et de la mutualité et de Coopératives et mutuelles Canada, ainsi que des invités de nos filiales et de nos partenaires coopératifs, québécois et canadiens. Il y avait du beau monde partout dans la salle!

Comme à tous les autres congrès, notre groupe coopératif parlerait de changement. Hervé Serieyx le disait: «La seule chose qui ne change pas, c'est le changement!» Il s'incarnerait cette fois dans la transition déjà amorcée vers l'ère numérique et par une réflexion sur les attentes de nos membres et clients en matière de renforcement de notre performance et de notre solidité financière.

Robert Marquis animait l'événement d'une main de maître. C'est lui qui devait me présenter. Mais, avant que je monte sur scène, les participants avaient d'abord droit à une vidéo sophistiquée qui portait sur le passage du temps et sur l'innovation. L'équipement sonore pour cette diffusion était digne des meilleures salles de cinéma.

Les applaudissements étaient nourris, mais je sentais que la salle n'était pas encore réchauffée. Il me fallait bien ouvrir la journée : j'étais là pour donner une impulsion et un sens à l'événement. D'entrée de jeu, je décidai donc de revenir sur l'actualité qui nous concernait et de rappeler aux participants que ce n'étaient pas les journalistes qui déterminaient notre ordre du jour.

Sans surprise, certains médias avaient dressé la table avant nous, dans les jours précédant le congrès. Apprenant que nous allions réfléchir à la façon de favoriser l'autogénération du capital nécessaire à la croissance de nos activités, ils avaient usé de raccourcis et de gros titres, annonçant la fin potentielle des ristournes aux membres. Ce n'était pas le cas, et il importait de l'expliquer. Cela dit, j'ai aussi réalisé que nos délégués comprenaient très bien le « jeu médiatique ». Je leur rappelai que notre assemblée est souveraine : personne ne peut présumer de ce que seront nos orientations. En cela réside le sens d'un congrès démocratique chez Desjardins, où nous demandons des votes d'orientation en utilisant des outils électroniques, individuels et confidentiels, avec lesquels chacun se sent à l'aise de donner son opinion librement. Nous devions être fiers de ce processus robuste.

Je suis intervenue sur la question de la solidité financière et sur l'importance de renforcer le capital afin de nous protéger contre les tempêtes telles que la crise de 2008, et de possibles volatilités des marchés en 2016. La solidité financière et la capitalisation doivent en effet être au cœur de nos préoccupations car c'est ce qui permet à Desjardins de servir ses membres avec confiance et à long terme. La coopération, c'est bien plus qu'une distribution de ristournes. De nombreux groupes coopératifs, particulièrement dans le secteur financier, ne ristournent pas leurs excédents, préférant renforcer leur capital pour assurer la sécurité de leurs déposants et de leurs assurés et renforcer leur capacité d'investissement. Il fallait que je revienne sur ce sujet crucial, encore une fois. Desjardins est le premier groupe financier coopératif du Québec et du Canada. Personne ne peut prétendre décider seul pour le Mouvement Desjardins, et personne n'a le droit de le fragiliser. Un Mouvement tel que Desjardins, solide et en croissance, est immensément important pour l'économie du Québec, voire du Canada.

Bien sûr, l'événement fut ponctué de conversations informelles entourant la fin de mon mandat, en 2016. On ne m'en parlait pas directement, mais je le savais.

Je le sentais. Déjà, les demandes d'entrevues de type bilan s'empilaient à mon bureau. Cela ne me posait pas de problème : je suis fière de la relève qui s'est développée au sein du Mouvement Desjardins dans les dernières années, que ce soit avec le comité de direction, l'équipe des vice-présidents, les directeurs généraux des caisses ou les directeurs de nos centres Desjardins entreprises. Et je savais très bien que j'avais été élue pour servir le Mouvement dans le cadre de deux mandats ; par la suite, ce serait à mon tour d'appuyer celui ou celle qui prendrait la relève. C'est ce qu'il faut faire dans une entreprise collective comme Desjardins. C'est ainsi qu'on se met au service de l'organisation, en acceptant la logique coopérative.

La journée s'est déroulée au gré des discussions et des votes des délégués sur des questions qui leur avaient été soumises à l'avance aux caisses. Comme nous en avions l'habitude, nous notions les interventions au micro. Pour chacune des plénières, je suis montée sur scène avec Normand Desautels, premier vice-président exécutif de la direction du Mouvement et directeur général de la Fédération. Sur la question du numérique, nous avons beaucoup échangé, puis reconnu que Desjardins doit continuer de s'adapter à un environnement évolutif et de plus en plus concurrentiel, 7 jours par semaine et 24 heures sur 24. Les possibilités numériques doivent représenter de nouveaux moyens et outils pour que nous soyons encore plus près de nos membres et clients : en personne, sur le Web, par mobile et dans nos centres d'appels.

À chacune des questions, les gens ont partagé leurs idées, leurs appréhensions. Plusieurs indiquaient leur appui aux changements d'avenir proposés par les instances, y compris en matière de renforcement de la capitalisation du Mouvement et d'adaptation au changement.

Normand Desautels et moi avons fait la remarque que nous sentions que ce congrès portait sur de vrais sujets, à la fois pour nous tous chez Desjardins et, plus largement, dans le monde.

L'exercice a donc été très utile. Tout congrès est en soi un grand effort de communication, d'éducation et d'échanges. Il s'agit d'une occasion exceptionnelle pour les délégués de donner leurs orientations en mettant en œuvre l'intelligence collective de façon ouverte et sans contrainte. Nous étions tous conscients que ce congrès serait aussi très utile pour la prochaine présidence, car les orientations retenues par les délégués serviraient certainement de toile de fond à la stratégie de Desjardins dans les années à venir.

À la fin de la journée, nous étions tous fatigués, mais le climat était excellent. De mon côté, j'avais été fidèle à mon style en allant sur le plancher : j'avais clairement manifesté mon intérêt — parfois en gesticulant beaucoup! —, et j'avais tenu à faire les nuances nécessaires à propos de toute question qui m'était posée. Il faut dire que Normand m'a superbement accompagnée ce jour-là, comme toujours. Nous sommes tellement complémentaires! Il connaît Desjardins en profondeur et il a un don pour mobiliser les gens. Au fil du temps, en plus d'être un précieux collaborateur, il est devenu un ami.

J'avais un gros pincement au cœur. Ce 22e congrès se terminait. Pour moi, ce serait le dernier en tant que présidente du Mouvement. Bien sûr, j'y serais toujours la bienvenue. Mais jamais plus je ne pourrais y contribuer comme je l'avais fait pendant toutes ces années. Avec mes convictions, mes doutes, mon cœur et ma passion pour les gens de Desjardins, pour le Mouvement que nous sommes.

À chaque jour suffit sa peine

Dans les jours qui ont suivi, l'état de santé déjà fragile de mon père s'est détérioré. Il nous a quittés le 6 octobre 2015. J'ai eu le privilège d'être avec lui jusqu'à son dernier souffle, à l'Hôpital Pierre-Boucher de Longueuil.

Son décès n'arrivait pas par surprise, mais le tourbillon dans lequel je me trouvais depuis tant d'années s'est subitement arrêté. Le silence se faisait autour de moi. L'épreuve qui se présentait me ramenait à mes proches.

Avec mon frère Martin et ma mère, nous avons commencé à organiser ses funérailles. Il s'est alors passé un étrange phénomène.

Pour mon père qui aimait tant la musique, j'ai voulu choisir les morceaux qui seraient interprétés lors de son service funéraire, dans la belle église Sainte-Famille à Boucherville, où j'avais si souvent joué. J'ai fait ce choix en pensant à ce qu'il avait aimé, lui qui m'avait fait découvrir la musique.

Le matin de la cérémonie, alors que je triais certains de ses effets personnels, j'ai ouvert l'un de ses cahiers de notes. Ils étaient semblables à ceux que j'utilise. Cela m'a frappée. Je savais que papa remplissait des cahiers, mais je ne les avais jamais lus.

En les feuilletant, je me suis rendu compte qu'il y inscrivait beaucoup de choses, tout le temps — comme moi. Et par hasard, j'ai lu ce matin-là une page qu'il avait écrite 20 ans auparavant. Papa avait dressé une liste précise de ce qu'il souhaitait que l'on fasse à son décès. Il ne nous en avait pas parlé.

Parmi ses indications se trouvaient, entre autres, les pièces musicales qu'il souhaitait pour ses funérailles. C'étaient les mêmes que j'avais choisies !

Je suis restée un bon moment à tenir ses cahiers dans mes mains, seule dans mon bureau à la maison. Heureusement, il n'y avait personne. J'étais sans voix. Je pensais à lui très fort, à ses yeux si bleus et à ses grandes mains délicates.

Mon père disait : « À chaque jour suffit sa peine. » Cela peut paraître un peu défaitiste, mais ce ne l'était pas dans son esprit. Ce que cela voulait dire pour lui, il me l'avait enseigné : avoir le courage de bâtir sa vie, de réussir, de faire un effort soutenu, en apprenant aussi à regarder en avant. Faire son possible chaque jour.

En regardant ses cahiers, je me suis rendu compte que j'étais bien la fille de mon père. Je lui devais une grande partie de ce que j'étais, y compris cette manie de noter mes réflexions personnelles.

À chaque jour suffit sa peine... Peut-être est-ce à cela que servent les cahiers. À retenir et à reconnaître ce qui est important, à se discipliner, à prendre du recul. À rester humble et à apprendre tous les jours. Merci pour les cahiers, papa. C'est un cadeau précieux que tu nous laisses, à moi et à toute ta famille.

Encore

{ Rappel à la fin du spectacle

De grandes rencontres

Je suis une personne très ouverte, qui aime partager les pratiques et les apprentissages. Je ne crois pas aux chasses gardées et je ne suis pas dogmatique, ce qui me permet de me laisser imprégner par ce qui m'entoure et d'aller en chercher le meilleur. C'est cette culture d'ouverture et de confiance qui m'a inspirée tout au cours de ma présidence. Cette culture, qui favorise les partenariats et la coopération, me semble fondamentale pour réussir dans le monde d'aujourd'hui et de demain.

La philosophie coopérative me fascine, tant sur le plan économique que social et personnel. Mais le réseau coopératif est souvent discret, et pas assez bien connu du grand public. C'est pourquoi j'ai eu l'idée de faire connaître des *leaders* coopératifs inspirants. Je l'ai soumise à André Forgues, qui m'avait beaucoup aidée en 2011 et en 2012 pour l'écriture de mon livre *Alphonse Desjardins: le pouvoir d'agir*, qui mettait en valeur la pensée coopérative du fondateur du Mouvement en partant de ses écrits et de citations. Alphonse Desjardins était un visionnaire, un entrepreneur tourné vers l'action; présenter plusieurs de ses textes me semblait une excellente façon de célébrer sa mémoire en 2012, Année internationale des coopératives. J'y ai ajouté des citations de tous les présidents qui lui ont succédé, en notant que les problèmes et les aspirations du Mouvement Desjardins ont souvent été les mêmes au fil du temps. Ce livre a connu beaucoup de succès, et tous les revenus de sa vente ont été versés à la Fondation Desjardins. C'est ainsi que nous nous sommes lancés dans la publication d'un nouvel ouvrage, paru en 2014 : *Carnet de rencontres*. Ce livre, qui inclut des vidéos, je l'ai écrit au fur et à mesure des rencontres que j'ai effectuées de 2012 à 2014.

André est vice-président Communications d'entreprise du Mouvement. C'est un stratège et un rédacteur remarquable qui a apporté son aide lors des trois congrès du Mouvement sous ma présidence ainsi que pour de nombreux dossiers stratégiques. Et c'est André qui, au fond, a permis à ce livre de naître. Merci pour tout, cher André ! De mon côté, j'ai eu le mérite d'avoir l'idée du concept, de connaître des personnes qui m'ont encouragée et de réaliser des entrevues dans lesquelles j'ai tenté d'amener ces *leaders* à s'exprimer de façon ouverte. J'ai appris ce rôle dans l'action, et il est plus complexe qu'on peut le croire.

C'est à 18 reprises que j'ai intégré ma fonction d'intervieweuse, avec une curiosité et un plaisir renouvelés. Munie uniquement d'un canevas d'entrevue, je suis entrée en conversation avec tous mes invités, tour à tour, me laissant guider par ce qu'ils me disaient. Nous avons conversé en français, en anglais, en espagnol et en japonais — dans ce dernier cas, avec l'aide d'un interprète.

Chacune de ces rencontres fut unique. J'ai été impressionnée par la générosité de mes interlocuteurs et par la diversité de leurs perspectives sur les entreprises coopératives. Leurs réflexions et leurs expériences m'ont beaucoup inspirée. De plus, la variété de tous leurs parcours personnels était fascinante.

Rosario Tremblay, Nelson Kuria, Bill Cheney, Kathy Bardswick, Arantza Laskurain, Alban D'Amours, Denis Richard, Dominique Lefebvre, Serge Riendeau, Shunichiro Yasuta, dame Pauline Green, Michel Lucas, Ed Rust, Arnold Kuijpers, Gabriela Ana Buffa, Suzanne Maisonneuve-Benoit, Jacques Sylvestre et Glen Tully composaient le groupe de *leaders* remarquables dont j'ai essayé de saisir la personnalité, de comprendre les convictions et de mettre en valeur l'engagement coopératif.

Rosario Tremblay, je l'ai déjà mentionné, est décédé en décembre 2015 à l'âge vénérable de 105 ans. Homme discipliné toujours présent pour aider et soutenir autrui et pour partager ses connaissances, il fut pour moi un mentor. Je me permets de présenter ici ses réalisations, à sa mémoire.

Celui qui deviendrait un bâtisseur du Mouvement Desjardins a étudié la comptabilité à Boston lors du krach boursier de 1929 ; il a consacré 50 ans de sa vie au Mouvement, à compter de 1935, travaillant notamment une trentaine d'années avec Cyrille Vaillancourt, qui avait pris la relève des fondateurs, Alphonse et Dorimène Desjardins. Rosario Tremblay a mis sur pied le service de l'inspection des caisses et l'a dirigé pendant 25 ans. Il a également participé à la fondation de Développement international Desjardins et voyagé en Europe, en Afrique et en Asie pour y représenter tantôt Desjardins, tantôt le Québec, tantôt le Canada, et parfois les trois en même temps! C'était à une époque où réaliser de tels périples n'était pas chose courante. Rosario Tremblay était un «coureur des bois» international! Et, comme si ce n'était pas assez, une fois retraité, il a fondé, à 82 ans, une coopérative de services de maintien à domicile; il en fut le président durant 10 ans!

Son extraordinaire parcours constitue une véritable inspiration pour plusieurs chez Desjardins. Parti de rien, il a accepté de s'engager et a beaucoup travaillé avec les caisses. Il a su persévérer, saisir les occasions, franchir les portes une à une, établir un formidable réseau de contacts et mettre tout cela au service de ses inébranlables convictions de coopérateur.

J'ai été profondément marquée par cette anecdote que m'a racontée monsieur Tremblay:

> «En 1953, quand le gouvernement fédéral a décidé de se lancer dans l'assistance internationale, un montant de 25 millions de dollars a été voté pour l'aide aux pays du Commonwealth. Alors, on a nommé une commission qui irait dans ces pays pour étudier les demandes d'assistance en agriculture, en pêcherie, en éducation, en épargne et

en crédit, et puis on cherchait une personne pour représenter le Mouvement des caisses. Ça prenait quelqu'un qui savait l'anglais. J'ai étudié trois ans et demi à Cambridge… J'ai été choisi par-dessus la tête de plusieurs autres. Cela m'a donné mes premiers contacts avec la Banque d'Angleterre, l'Alliance coopérative internationale et le Bureau international du travail, la FAO (Food and Agriculture Organization) à Rome, puis tout ce que vous voulez… J'ai passé trois mois et demi en Inde, au Pakistan et à Ceylan, et j'ai agi comme représentant du gouvernement du Québec. » [8]

J'étais soufflée. Il avait connu des organisations comme l'ACI et la FAO. Cet homme aurait eu de quoi pavoiser. Au lieu de cela, il me parlait comme on parle à une amie à qui on prodigue des conseils :

« Il faut faire attention, m'a-t-il dit au terme de nos entretiens, l'objectif d'une coopérative, ce n'est pas de courir à sa perte, c'est d'être viable économiquement et d'être capable de répondre aux besoins de ses membres. Mais l'objectif de base, j'y reviens toujours, c'est la nécessité de former des individus, de s'entraider et de travailler ensemble. » [9]

Monsieur Tremblay, merci pour tout ce que vous avez fait pour Desjardins et le mouvement coopératif. Merci pour vos enseignements et votre façon simple de dire les choses, qui nous ont aidés à comprendre bien des enjeux. Merci pour tout !

Suzanne Maisonneuve-Benoit est de la même eau ; elle est une pionnière. Avec quelques autres dirigeantes élues chez Desjardins, dont Monique Vézina et Madeleine Lapierre, elle fut l'une des premières à accéder aux plus hautes instances du Mouvement. Son parcours est typique de celui des femmes de sa génération, qui ont dû prendre leur place, souvent seules, dans un monde d'hommes. Lorsque je l'ai rencontrée, j'ai pu mesurer l'ampleur de ses convictions.

> « Après un baccalauréat en pédagogie, j'ai enseigné le français au deuxième cycle du secondaire dans une école de garçons. Il y avait 60 professeurs et j'étais la seule femme. L'année suivante, les professeurs masculins de ce collège m'ont nommée responsable du département de français. J'avais appris à travailler avec eux, et ils avaient aussi appris à travailler d'une autre façon, avec des idées nouvelles. Pour moi, ça avait été comme un cadeau. » [10]

Elle est ensuite devenue directrice des communications : elle a été la première femme à occuper un poste de cadre au ministère du Revenu du Québec.

«À ce moment, un phénomène un peu particulier s'est produit. Les femmes ont commencé à être nommées, mais, après deux ans, elles quittaient leurs fonctions. Elles ne voulaient pas demeurer dans ce milieu d'approche difficile. J'ai mis sur pied un réseau de femmes qui les accueillaient, les marrainaient, en quelque sorte. Cela a très bien réussi. Leur nombre est passé à 12, à 15, à 20… et quand je suis partie, après cinq ans dans ce réseau, la sous-ministre en titre était une dame. » [11]

Madame Maisonneuve-Benoit a été élue au conseil d'administration de la Fédération puis déléguée au conseil de la Confédération, où elle a rejoint une autre pionnière, Madeleine Lapierre, qui représentait la région de Richelieu-Yamaska.

«C'était bien intéressant, car madame Lapierre était de l'autre côté de la table. Alors on se faisait de temps en temps un petit clin d'œil de complicité. Comme il n'y avait pas beaucoup de femmes, on se partageait l'ensemble des comités. Ç'a été mon entrée chez Desjardins. Une entrée, comment dire, quasi fracassante, parce que je défonçais toujours certaines portes et que, finalement, j'arrivais toujours la première ou l'une des premières dans un groupe. Mais il fallait avoir une certaine force de persuasion, et le fait d'avoir déjà gagné mes épaulettes dans un milieu masculin, ça m'aidait beaucoup à avoir confiance en moi. » [12]

Mes rencontres avec Jacques Sylvestre, Alban D'Amours, Denis Richard et Serge Riendeau ont été des moments des plus stimulants et agréables. Nos convictions et nos engagements se rejoignaient. Je pourrais renchérir en disant combien les entretiens avec Michel Lucas, Ed Rust et Dominique Lefebvre m'ont permis d'apprendre de leurs parcours remarquables et de réfléchir au fait que le monde coopératif se ressemble d'un bout à l'autre de la planète.

J'avais parfois l'impression de voler du temps au temps : ces rencontres, je les faisais entre deux voyages, des rendez-vous importants et des décisions à prendre. Or, elles étaient pour moi une forme de ressourcement, en même temps qu'une sorte de rappel des principes coopératifs.

Mes entrevues avec Kathy Bardswick, présidente et chef de la direction de Co-operators, et Nelson Kuria, président et chef de la direction de CIC Kenya, tous les deux de coopératives d'assurances, auraient pu faire l'objet de quelques chapitres de *Carnet*.

« Si nous voulons nous sortir de la désillusion, du désespoir, de la disparité dans la distribution de la richesse et des abus commis au détriment de notre planète, m'a dit Kathy la voix pleine d'émotion, nous devons agir ensemble. Quand je pense à notre modèle fondé sur l'interdépendance, le respect de soi-même, la performance personnelle et la volonté de faire de son mieux, comme personne, pour contribuer au bien commun et le faire dans le respect, en misant sur l'influence et la parole — c'est-à-dire tout ce en quoi les coopératives croient —, je me dis : "Mon Dieu, le monde a besoin de nous plus que jamais !"» [13]

Nelson Kuria a quant à lui connu la pauvreté et parcouru bien du chemin. Comme il le dit lui-même, il est une preuve vivante de la capacité des coopératives à changer la vie des gens :

« J'ai vu les coopératives changer ma vie et me donner de l'autonomie. Même si mes parents étaient très pauvres, parce qu'ils faisaient partie d'une coopérative qui produisait du lait et du pyrèthre, ils ont pu m'envoyer à l'école, grâce au peu d'argent qu'ils faisaient. Quand j'étais à l'école secondaire, parfois, mes parents n'avaient pas d'argent pour payer l'école. Je me présentais alors avec un reçu de la coopérative indiquant combien de lait nous avions livré au cours du mois, et le directeur me laissait poursuivre mes classes parce que ce reçu avait pratiquement autant de valeur que de l'argent sonnant! C'est ainsi que j'ai pu continuer mes études jusqu'à l'université, où j'ai obtenu un prêt du gouvernement. Je peux donc vous dire sans l'ombre d'un doute que c'est grâce à une coopérative que j'ai pu étudier, et je raconte cette histoire avec beaucoup de fierté!» [14]

Arantza Laskurain, secrétaire générale de MONDRAGON, un groupe réunissant près de 260 entreprises dont 103 sont des coopératives, et qui emploie plus de 74 000 personnes, m'a parlé de sa volonté de contribuer à la création d'une société plus juste. Ce qu'elle m'a dit m'a beaucoup fait réfléchir. Étais-je vraiment l'une de celles qu'elle décrivait? Nos entretiens se sont tenus en espagnol, une langue que je peux comprendre — Arantza a été d'une indulgence à toute épreuve.

«Tous les coopérateurs ont en commun d'être de grands utopistes. Je crois en l'utopie. Je crois en un monde plus juste, je crois en un monde plus solidaire, je crois en un monde plus égalitaire. Et je crois que chacun d'entre nous, d'où qu'il vienne, avec un tout petit peu d'humilité, peut faire quelque chose. À tout le moins, j'assume la partie de responsabilités qui me revient. Je crois en un meilleur monde, et c'est là l'utopie que je défends, celle pour laquelle je travaille et continuerai de travailler. Un sourire doit nous aider à changer le monde. »[15]

Carnet de rencontres m'a aussi donné l'occasion de rencontrer en tête à tête une véritable « dame » : Pauline Green, qui était toujours présidente de l'Alliance coopérative internationale (ACI) au moment de notre entretien. Son titre de dame, l'équivalent féminin du chevalier, est l'un des honneurs importants qu'octroie la Couronne britannique.

Notre conversation a eu lieu en Afrique du Sud, en novembre 2013, tout juste avant l'assemblée générale où elle a entrepris son deuxième mandat à la présidence de l'ACI, où j'étais moi-même élue pour la première fois membre du conseil d'administration.

Cette femme est capable d'une communication d'une clarté époustouflante, et elle maîtrise la langue anglaise de façon admirable. De surcroît, elle m'a fait confiance et a manifesté l'ouverture nécessaire à notre précieux échange.

« Quand j'étais une petite fille, je cherchais toujours à comprendre comment on réussissait à changer les choses dans la société. Pendant que les autres filles collectionnaient des photos de vedettes populaires et de vedettes de cinéma, j'étais fascinée par les

politiciens, ce qu'ils faisaient, et les changements qu'ils provoquaient dans la vie
des gens. »[16]

Outre son cheminement professionnel hors du commun
et son implication au Parlement européen, dame Pauline
est une mère ; c'est ce qui lui a fait découvrir le mouvement coopératif. Je me suis retrouvée dans ses propos.

> « Je cherchais un endroit, une sorte de
> club pour mes enfants qui n'aurait pas de
> connotation religieuse ni militaire. C'est
> ainsi que j'ai découvert les Woodcraft Folk.
> Il s'agit de l'aile jeunesse du mouvement
> coopératif au Royaume-Uni. Alors, mes
> enfants se sont inscrits au Woodcraft Folk.
> Au tournant de la trentaine, j'étais devenue
> une *leader* du Woodcraft de mon secteur.
> On faisait toutes sortes de choses à travers
> le pays. Nous avons tenu des camps inter-
> nationaux avec des enfants de tous les hori-
> zons : des milliers de tentes avec des jeunes
> d'Europe de l'Est, encore communiste à
> l'époque, de jeunes Britanniques et d'autres
> qui venaient d'un peu partout à travers
> le monde. C'était une expérience fabu-
> leuse, et c'est ce qui m'a amenée dans le
> mouvement coopératif. »[17]

J'aurais pu relater des extraits des 18 entretiens que j'ai menés. Ils furent tous riches. Pour ce livre, j'ai choisi de relever des passages qui ont un lien avec mon propre cheminement et qui illustrent ce que j'affirmais en conclusion de *Carnet de rencontres* :

> « Au cours des dernières années, j'ai tissé tout un réseau de contacts avec des personnes remarquables. Beaucoup sont devenus des amis. Personnellement et professionnellement, j'ai grandi à leur contact. Je suis aujourd'hui une meilleure personne, surtout une meilleure citoyenne que je ne l'étais avant d'entrer dans le monde coopératif. Ces rencontres et l'effet du passage du temps ont raffermi mes convictions sur l'importance de la qualité des rapports humains que nous entretenons dans tout ce que nous faisons. » [18]

Je termine ce chapitre en évoquant ce que Shunichiro Yasuta définissait comme étant, pour lui, le sens du mot *coopération* en japonais : « 関係 ». En français, cela peut se traduire par *relation*. Car, pour ce coopérateur du Japon, la coopération est fondée sur la capacité des personnes à établir des relations positives et à construire les unes avec les autres un projet commun, au bénéfice de l'entreprise collective.

Préparer la transition

L'année 2015 a filé à la vitesse de l'éclair. Sauf pour la pause que fut le décès de mon père et quelques jours de vacances que Marc et moi nous sommes accordés avec Anne-Sophie à la fin de l'été, je ne me souviens pas d'une seule journée où le travail ne se soit pas infiltré, parfois subtilement, dans mes pensées. Elle a été une année intense de travail et d'émotion.

J'ai eu plusieurs occasions de me rendre à l'étranger, pour participer à différents forums dont je suis membre ou à l'invitation de partenaires. Au Québec, lors de mes sorties publiques et de mes rencontres avec les employés, une question, toujours la même, commençait à m'être posée : « Madame Leroux, à la suite de votre mandat à la présidence du Mouvement Desjardins, qu'allez-vous faire ? »

C'est peut-être parce qu'on se souciait de mon sort qu'au printemps, j'ai été prise dans une petite tourmente médiatique. Compte tenu de la taille du Mouvement Desjardins et du fait qu'il soit maintenant une institution financière systémique au Canada (selon la terminologie des autorités réglementaires), des discussions avaient eu lieu au conseil d'administration concernant la pertinence d'une période de transition et de soutien pour la personne qui accéderait à la présidence, comme c'est le cas dans toutes les grandes entreprises, au Canada et ailleurs dans le monde. Il fut donc question que j'accompagne, en tant que présidente sortante, celui ou celle qui serait élu au printemps 2016 pendant une période de six mois après mon terme, de façon à faciliter son intégration et la passation de tous les dossiers en cours. Personnellement, j'aurais bien aimé, en 2008, être accompagnée du président sortant pendant que je faisais face à la crise économique mondiale, mais les règles internes ne le prévoyaient pas. Cela dit, en accord avec le conseil, Alban D'Amours s'est chargé de 2008 à 2012 des mandats internationaux au nom de Desjardins, dont la présidence du conseil de la Confédération internationale des Banques populaires. Sa contribution m'a facilité la tâche en 2012, lors de mon deuxième mandat, au moment où j'ai commencé à m'impliquer et à contribuer aux affaires internationales avec le Sommet de Québec.

Après des discussions à l'assemblée générale de 2015 sur le sujet de la transition, le conseil d'administration a convenu de déposer formellement ses recommandations et ses analyses à l'assemblée des représentants de juin 2015 pour que cette question fasse l'objet de réflexions lors d'un congrès suivant l'élection de la prochaine présidence. En outre, afin de pourvoir aux besoins de la transition en 2016, le conseil d'administration m'a demandé d'accompagner mon successeur pendant trois mois et de poursuivre les engagements et mandats de Desjardins à l'international pendant quatre ans, notamment à l'Alliance coopérative internationale et au Groupement européen des banques coopératives. J'ai accepté ces tâches avec enthousiasme, comme l'a fait mon prédécesseur.

Par ailleurs, je n'ai pas vraiment répondu aux interrogations concernant mon avenir après Desjardins, tout simplement parce que je ne le connaissais pas — et je ne le connais d'ailleurs toujours pas. Il me semble hors de question de passer à la retraite : je crois que mon cher Marc me trouverait trop active dans le démarrage de projets familiaux ! D'une certaine manière, j'ai la chance de pouvoir laisser des portes ouvertes pour réfléchir à l'avenir et saisir les occasions qui se présenteront à moi. Assurément, je voudrai agir comme membre de conseils d'administration d'entreprises, me garder du temps pour du mentorat et du *coaching* et me rapprocher du milieu stimulant de l'enseignement supérieur. Ce serait une façon de continuer à apprendre et de partager avec la relève un peu de mes expériences. Je dois aussi dire que l'entrepreneuriat, l'innovation, le développement durable et la finance responsable sont pour moi des sujets de grand intérêt. Et je sais qu'il y a, en ce domaine, bien des choses à faire !

Également en 2015, une possibilité s'est présentée à moi, soit celle de m'impliquer davantage au sein de l'Alliance coopérative internationale.

Pendant le Sommet de 2014, la présidente de l'ACI, dame Pauline Green, m'avait confié qu'elle ne se rendrait peut-être pas jusqu'au terme de son mandat, qui venait à échéance en 2017 ; elle était en réflexion. Elle disait qu'elle prendrait une décision en 2015. En juillet 2015, lors d'une réunion du conseil d'administration de l'ACI, dame Pauline a effectivement annoncé à tous les membres qu'elle ne terminerait pas son mandat. Une élection à la présidence de l'ACI devrait donc avoir lieu à l'assemblée générale de novembre, en Turquie. J'ai rapidement été encouragée par d'autres membres du conseil d'administration à présenter ma candidature.

Pour moi, cela ne pouvait se faire que sous certaines conditions. Et je ne prendrais ma décision que lorsqu'elles seraient réunies.

La première était d'avoir l'appui unanime du conseil d'administration du Mouvement Desjardins. Le mandat de l'ACI devait prendre effet en novembre et se chevaucherait donc avec mes derniers mois de présidence chez Desjardins et mon après-présidence. Il n'était pas question que je présente ma candidature sans que le Mouvement l'accepte, d'autant plus que le processus menant à l'élection était exigeant et que l'appui de Desjardins était requis pour ce nouveau mandat. J'ai donc demandé à ce que notre Conseil en discute en huis clos, sans moi.

Trois candidats ont rapidement annoncé leur candidature à la présidence, soit : le Français Jean-Louis Bancel, l'Argentin Ariel Guarco et le Brésilien Eudes de Freitas

Aquino. Il me faudrait mener ma campagne avec un peu de retard par rapport à ces derniers, fort actifs dès le début du mois d'août.

J'ai obtenu l'appui inconditionnel de notre conseil, et de nombreux dirigeants du réseau m'ont aussi exprimé leur soutien. Il faut dire que les relations entre Desjardins et l'ACI, datant de 1895, remontent à Alphonse Desjardins. Plusieurs dirigeants du Mouvement s'y sont impliqués. Alban D'Amours, par exemple, a siégé à son conseil d'administration et a activement contribué à la réforme de ses structures. En outre, l'ACI étant un formidable outil de mobilisation pour le mouvement coopératif dans le monde, le fait qu'une représentante du Mouvement Desjardins puisse accéder à sa présidence constituait une occasion assez exceptionnelle.

J'ai ensuite voulu avoir l'assurance que les gens du Conseil québécois de la coopération et de la mutualité (CQCM) et de Coopératives et mutuelles Canada (CMC) m'appuieraient, d'autant plus que ce dernier organisme, qui représente l'ensemble du mouvement coopératif canadien, était celui qui devrait soumettre ma candidature. Leur soutien m'honora, surtout qu'une autre Canadienne, Kathy Bardswick, aurait aussi eu toutes les raisons de se présenter à la présidence de l'ACI. Or, après une bonne discussion que nous avons eue ensemble au début du mois d'août, Kathy m'a assuré son appui ; je la remercie très sincèrement de sa confiance.

À la fin d'août, une fois ces démarches faites, j'ai beaucoup parlé avec Marc et Anne-Sophie. Il s'agissait d'un poste non rémunéré qui, bien qu'il ne soit pas à temps plein, impliquerait que je me promène régulièrement entre quatre continents: l'Europe, les Amériques, l'Afrique et l'Asie-Pacifique. Ils m'ont encouragée à aller de l'avant en soulignant que ce serait une autre première si je parvenais à me faire élire.

Anne-Sophie m'a même dit: «Maman, et pourquoi pas... Je sais que tu en es capable!» Drôle d'impression de recevoir ce conseil de sa fille!

Desjardins: coopératif, solide et en croissance

La fin de 2015 fut aussi marquée par de nombreuses questions concernant mon bilan. Si les êtres humains adorent mettre un point final aux événements qui constituent leur vie, les médias en font, eux, une spécialité! Comme si regarder vers le passé était rassurant... Je ne suis vraiment pas de cette eau-là; je préfère regarder droit devant et m'intéresser aux possibilités qu'offre l'avenir.

J'ai cependant décidé de répondre franchement aux questions qui m'étaient posées sur mes années à la présidence et sur les défis auxquels Desjardins faisait face.

Lorsque je regarde le chemin parcouru par le Mouvement de 2000 à 2016, globalement, je suis fière du travail accompli. De façon plus spécifique, durant la période allant de 2008 à la fin de 2015, Desjardins a accueilli près de deux millions de nouveaux membres et clients et est devenu employeur de choix, grâce à la mobilisation de nos employés !

Les chiffres nous permettent, au-delà des mots, de mesurer les progrès effectués durant cette période de huit ans : nous avons presque doublé les revenus totaux de Desjardins, qui totalisent aujourd'hui près de 15 milliards de dollars. L'actif du Mouvement a crû de près de 70 %, atteignant près de 250 milliards de dollars, alors que les actifs hors bilan excèdent maintenant les 400 milliards de dollars. Les capitaux propres au groupe sont quant à eux passés de 10 milliards à plus de 22 milliards de dollars.

Nous avons également généré des excédents de près de deux milliards de dollars en 2015, tandis que nos enveloppes de projets et d'investissement technologique représentent près d'un milliard de dollars. Les ratios de capital (« Core Tier 1 ») ont été renforcés à plus de 16 %, ce qui place Desjardins au premier rang des institutions financières canadiennes, voire nord-américaines.

La solidité financière du Mouvement a toujours été au cœur de mon action et, sur ce plan, j'ai eu le privilège d'être soutenue par Daniel Dupuis, premier vice-président Finances et chef de la direction financière, et par Louis-Daniel Gauvin, premier vice-président de la Caisse centrale et de Capital Desjardins, véritables gardiens de notre intégrité financière.

De plus, nous avons fait progresser Desjardins sur plusieurs axes :

- au Québec, par un maintien ou un accroissement de nos parts de marché, globalement, et en particulier dans les régions ;

- en Ontario, par le réseau des caisses et nos acquisitions ;

- à travers nos partenariats coopératifs au Canada ;

- à travers nos activités d'assurance de personnes et de dommages ;

- avec le développement de nos services en monétique ;

- ainsi que par l'intermédiaire de Développement international Desjardins, dont l'action se déploie sur quatre continents.

Nous avons ainsi développé plusieurs vecteurs d'innovation et de croissance dans tous nos secteurs d'activités, y compris les caisses et les centres Desjardins Entreprises, qui travaillent à la croissance du nombre de leurs membres. Nous avons maintenant un pôle services « caisses/bancaires » qui génère près d'un milliard de dollars d'excédents et un secteur d'assurance et gestion de patrimoine qui a aussi généré près d'un milliard de dollars d'excédents. Cela donne une certaine diversification et une robustesse à notre Mouvement. Cet important potentiel d'avenir, allié à la solidité du bilan et du capital, contribue au fait que nous avons des cotes de crédit très stables. Tout cela me donne une grande confiance dans l'avenir de notre groupe financier coopératif.

Le Mouvement Desjardins est solide et en croissance. Et il nous appartient !

En outre, je suis fière que nos réalisations soient le fruit de décisions collectives, des choix courageux et ambitieux que nous avons faits, notamment à l'occasion de nos grands congrès d'orientation de 2009, de 2013 et de 2015.

Je veux remercier tous ceux et celles — les 5 000 dirigeants élus et les 48 000 gestionnaires et employés de Desjardins — qui ont participé à ces réalisations et qui m'ont fait confiance au cours des huit dernières années. Grâce à eux, Desjardins peut poursuivre sa mission avec encore plus de moyens. Aux premiers rangs des dirigeants, je tiens à nommer Denis Paré, vice-président du conseil d'administration, et Yvon Vinet, secrétaire du conseil. Je les remercie pour leur soutien, leurs conseils et leur travail. Comme officiers du conseil, ils ont toujours su garder une saine distance avec leurs collègues afin d'être en mesure d'accueillir adéquatement leurs préoccupations ou commentaires.

Pour ma part, j'aurai opéré bon nombre de réalisations, avec mon style et mes convictions. Comme mes prédécesseurs et ceux qui me succéderont.

J'aime bien comparer mon travail à celui du jardinier, car la symbolique du jardin s'apparente à ma philosophie de gestion. Particulièrement chez Desjardins, j'aurai choisi des terreaux, brassé de la terre, créé des hybrides efficaces, planté des graines, des bulbes, des vivaces et des arbres, en arrachant parfois des mauvaises herbes ou en éliminant certaines espèces non adaptées à l'environnement, dans le but de faire grandir le jardin, pour qu'il soit plus fleuri et plus robuste qu'à mon arrivée. C'est un beau et grand travail, que je qualifierais de culture de performance coopérative.

Cela dit, je ne m'accorde pas une note parfaite, loin de là. Il y a des dossiers pour lesquels j'aurais souhaité que l'on aille plus vite, que notre « machine » soit plus alerte et plus innovante. Mon objectif fondamental a toujours été de travailler au-delà des barrières et des structures afin que l'ensemble du Mouvement fasse encore mieux pour ses membres et ses clients, qu'il soit encore plus au-devant de leurs besoins et gagne en efficacité dans ses services. À cet égard, je n'ai pas pu concrétiser tous les progrès que j'aurais souhaité réaliser.

Bien sûr, il faut de la volonté et de l'énergie pour faire disparaître les batailles de clochers, régler les petites guerres personnelles, abolir le désir d'avoir à tout prix raison. On perd parfois un temps fou avec des questions à l'interne. « Alignons-nous pour être beaucoup plus rapides du point de vue du membre et du client. Nous faisons tous partie de la même équipe. Soyons fiers de

Desjardins dans nos milieux, et travaillons ensemble à mériter chaque jour la confiance de nos membres et clients. » Voilà ce qui, pour moi, a toujours été évident. Je le répétais constamment. Atteindre cette attitude passe par la confiance et par la fierté d'être dans la même équipe et de réussir ensemble.

Au fond, ce rêve d'une grande coopérative agile et performante est très exigeant, il commande des convictions sincères et de la résilience personnelle. J'ai choisi d'évoluer dans une organisation démocratique, avec tout ce que cela induit de cheminements parfois lourds et, en même temps, porteurs et profonds. Et j'ai fait le choix de rester fidèle à mes convictions, selon lesquelles nous devons travailler pour le bien commun à long terme du Mouvement, même si cela implique des décisions difficiles sur les plans politique et médiatique.

Le Mouvement Desjardins a un impact social immense. Voilà ce qui a stimulé mon engagement. Toute ma vie, j'ai cherché à ce que mon action soit utile. C'était vrai lorsque je m'impliquais dans les causes étudiantes à l'Université du Québec à Chicoutimi, que je revendiquais de meilleures conditions pour les femmes ou encore quand je suis devenue présidente de l'Ordre des CPA du Québec. Et c'est aussi pour cela que je me suis engagée auprès de l'ACI à compter de 2013. D'ici la fin de mon mandat à la présidence de Desjardins, je continuerai à travailler pour soutenir notre grande entreprise collective à débattre d'enjeux importants : c'est ainsi que le Mouvement pourra pleinement jouer son rôle et apporter sa contribution aux personnes, aux communautés et à la société.

Ce fameux « numérique »

Nous assistons aujourd'hui à l'essor prodigieux de l'économie numérique et de la mobilité. Ce n'est pas la première fois dans l'histoire que nous avons à faire face aux changements technologiques et à leurs conséquences. Ce qui est nouveau, c'est la vitesse à laquelle ceux-ci s'enchaînent.

En une petite demi-heure, alors que vous lisez ce livre, plus de 90 000 téléphones intelligents auront été vendus dans le monde; cela représente de 4 à 5 millions de ventes par jour. [19] Durant ce même laps de temps, environ 180 millions de vidéos auront été vues sur YouTube — près de 9 milliards en 24 heures. [20] Le 24 août 2015, pour la première fois, plus d'un milliard d'utilisateurs se sont connectés à Facebook au cours d'une seule journée. Au Québec, plus de 4 ménages à faible revenu sur 10 ont aujourd'hui un téléphone intelligent : ce pourcentage a plus que doublé en 2 ans. [21] Et *The Economist* prévoit que d'ici 2020, 80 % des adultes dans le monde en posséderont un. [22]

La révolution numérique et la mobilité rejoignent maintenant toutes les couches de la population et tous les secteurs d'activités, que ce soit la musique, les médias imprimés, l'hébergement, les processus industriels. Personne n'échappe à cette évolution « disruptive ».

Dans les années quatre-vingt, les présidents Alfred Rouleau et Raymond Blais avaient dirigé l'installation des premiers guichets automatiques : c'était toute une innovation technique ! Les institutions financières introduisaient de nouvelles façons de faire. Trente-cinq ans plus tard, les gens délaissent ces guichets et manipulent de moins en moins d'argent en espèces. Ils sont prêts à entendre toutes les propositions, d'où qu'elles viennent : Apple, Google, Amazon, Facebook, PayPal, Square, Lending Club… En effet, on ne compte plus les géants de l'Internet et les vedettes montantes de Silicon Valley ou de l'Asie qui offrent des solutions de paiement et des services financiers. Plusieurs de ces entreprises ont devant elles des possibilités d'investissement énormes, des banques de données colossales et une capacité d'action mondiale.

Si certains pensent encore que le poids des habitudes et de solides parts de marché mettent les institutions traditionnelles à l'abri du changement, je les invite à considérer ceci : selon le Millennial Disruption Index, le tiers de la génération Y croit qu'il n'aura pas besoin de banque d'ici cinq ans. Et un sondage récent de la firme Accenture a révélé qu'un Nord-Américain sur deux est prêt à recourir à un autre type d'entreprise qu'à une institution traditionnelle pour ses services financiers. Conséquemment, le secteur des services financiers investit des milliards de dollars en technologie, et plusieurs institutions ont décidé d'investir dans les « Fintech » (technologies financières) à travers le monde.

Ces questions nous interpellent tous. Nous devons, chez Desjardins comme dans toute entreprise ou instance gouvernementale, y réfléchir et agir, en nous ancrant dans nos valeurs, et en nous demandant pourquoi et comment nous pouvons intégrer ces tendances dans nos façons de faire et nos stratégies.

Et l'innovation, alors ?

La question de l'adaptation et de l'innovation ne concerne pas seulement le secteur des services financiers et Desjardins, mais bien toutes nos entreprises. Sommes-nous prêts à faire face à la musique ? Quelles modifications devons-nous effectuer dans cette ère de changements accélérés ? Avons-nous identifié nos défis et les bonnes options ? Comment tirer parti de cette nouvelle révolution ? Il s'agit là de questions incontournables. Ne pas en discuter serait irresponsable et mettrait à risque l'organisation ; une coopérative, si importante soit-elle, n'est pas sur une île isolée du vent et des courants...

À l'occasion de notre 22ᵉ congrès, en accord avec le conseil, nous avons tenu à ce que les sujets de l'évolution numérique et de l'innovation soient au cœur de nos discussions. Nous nous sommes donné des orientations claires afin d'innover et d'investir dans l'accompagnement de nos membres et de nos clients au sein de ce monde en transformation.

Je n'étais pas la première à souhaiter de telles orientations : Desjardins s'inscrit dans une longue tradition d'innovation. Après tout, Alphonse Desjardins innovait en créant la caisse de Lévis, première coopérative d'épargne et de crédit en Amérique !

Desjardins Assurance Vie a acquis en 1960 le RAMAC 305 d'IBM, le premier ordinateur à disque dur qui fut commercialisé. Desjardins a aussi réalisé la première expérience de télétraitement des données au Canada lors de l'Expo 67. Il fut la première institution financière canadienne à posséder un système informatique intégré qui reliait toutes ses caisses ; c'était au milieu des années soixante-dix. Interac et AccèsD sont ses inventions. Et, en septembre 2014, Desjardins devenait la première institution financière du Québec à offrir le paiement mobile.

Durant mon discours à la Chambre de commerce du Montréal métropolitain, devant le millier de personnes qui m'avaient fait l'honneur de venir m'entendre au Palais des congrès à l'automne 2015, j'étais fière de parler d'autres initiatives technologiques, comme les applications Ajusto, dans le domaine de l'assurance automobile, et Hop-Ép@rgne, le moyen d'épargner le plus simple qui existe, sans oublier les solutions de paiement Monetico mobile et Monetico mobile+, lancées en partenariat avec le Crédit Mutuel.

J'étais aussi heureuse d'annoncer la création du Desjardins Lab, au Complexe Desjardins. Dans ce lieu d'expérimentation, nos experts, nos employés passionnés et nos partenaires peuvent désormais travailler ensemble et innover, au bénéfice de tous nos membres et clients.

Ces innovations, services mobiles et nouvelles solutions technologiques ne pourront toutefois pas remplacer le contact humain. Il ne faudra jamais cesser d'insister sur l'importance d'une relation forte, qui continuera de se développer avec chacun de nos membres et de nos clients. Or, cette relation n'est pas « coulée dans le ciment » ! Elle doit évoluer et s'adapter à notre environnement.

Sur ce plan, je veux souligner la contribution de Robert Ouellette, premier vice-président Technologies et Centre de services partagés. Il a réalisé un travail très important pour réaligner nos TI et mettre en place les groupes Technologies Desjardins et Services partagés

Desjardins. Ma seule inquiétude concernant Robert portait sur l'ampleur des défis qu'il se donnait comme marathonien et mordu du vélo !

J'ai par ailleurs déjà mentionné nos investissements dans de nouveaux types de caisses et centres de contacts avec les clients. Des exemples ? Notre centre de services du Marché central, à Montréal, ouvert récemment. Lieu de la diversité culturelle, il offre un service à la clientèle en 10 langues, et une section est spécialement destinée aux nouveaux arrivants. De plus, nous avons créé des centres 360^{d}, petits, ouverts et dynamiques, situés à proximité des campus de l'Université de Montréal, de l'UQAM, de l'Université Concordia et de l'École de technologie supérieure. Guy Cormier et son équipe ont fait un excellent travail pour dynamiser notre présence à Montréal.

Ces espaces représentent l'avenir. Nos employés y font les choses différemment, sans comptoir, avec des écrans et des tablettes numériques. De jeunes membres nous redécouvrent ainsi, grâce à ces centres où l'on se permet d'expérimenter et d'innover. Tout le réseau des caisses bénéficiera de nos expériences ! Nous sommes bel et bien en mode croissance, en intégrant de nouvelles façons de faire, avec une attitude d'ouverture à la diversité.

On m'a beaucoup interrogée sur la fermeture de certains points de service dans notre vaste réseau. Certains considéraient que c'était un comportement antinomique par rapport à notre philosophie et ne comprenaient tout simplement pas pourquoi nous procédions de la sorte.

Au fond, ces gestes sont le reflet de la réalité à laquelle nous devons faire face. Les temps changent et nos membres se déplacent vers de nouveaux pôles pour faire leurs emplettes et recevoir l'ensemble des services dont ils ont besoin. Avec le Web et les applications mobiles, nos membres peuvent désormais magasiner les services d'entreprises qui n'ont pas pignon sur rue. Et ces tendances vont probablement s'accélérer. Il faut donc être capable de s'adapter et de s'ajuster à ces nouvelles réalités.

Bien sûr, maintenir le *statu quo* est *a priori* plus facile. On évite ainsi bien des commentaires négatifs. Mais à moyen terme se produirait une érosion incontournable de la performance globale, ce qui mettrait en danger la pérennité de Desjardins. Devant ces situations complexes, la présidence, le conseil d'administration et la direction de la caisse, d'une composante ou du Mouvement, selon les circonstances, doivent donc trancher et déterminer ce qui est le plus avantageux à long terme.

Est-ce que tous ces efforts assureront à Desjardins un renouvellement de ses membres? Est-ce que les jeunes, particulièrement, continueront de se sentir bien dans le mouvement coopératif? Ce sont là de grandes questions.

Et le défi qu'elles cachent n'est pas que mercantile. Je suis confiante en l'avenir, car nous avons pris les moyens d'agir, d'investir, en acceptant d'innover dans un marché compétitif et ouvert. Sommes-nous moins coopératifs pour autant? Quand on me questionne et qu'on met en opposition la fermeture d'un guichet moins utilisé et l'ouverture d'un nouveau centre pour les étudiants, je réponds que la force de la coopération est de s'adapter aux changements et à l'évolution de son bassin de membres. C'est aussi d'accepter que la coopération puisse être moderne et de sortir de la tradition. Si nous refusons de faire les changements qui s'imposent, nous nous condamnons au *statu quo* et réduisons notre impact, voire notre contribution à la société.

Faire en sorte que la majorité des nouvelles générations, issues de toutes les communautés, se reconnaissent dans le coopératisme est un gage de succès pour un monde meilleur. Au moment de la rédaction de cet ouvrage, le nouveau gouvernement fédéral annonçait son intention d'accueillir 25 000 réfugiés syriens en terres canadiennes. Desjardins a le devoir d'ouvrir ses portes à ces familles — et à tant d'autres! — qui s'installeront ici, souvent pour y rester. Les institutions que nous avons créées et développées — je pense ici aux caisses, qui ont l'avantage de la proximité avec leur communauté — joueront là un rôle fondamental. Il ne s'agit pas de prosélytisme; le mouvement coopératif est tout simplement un contrepoids résilient aux chocs économiques.

Servir les membres et clients, aligner les différentes composantes de l'établissement, travailler sur la culture de l'entreprise, innover, investir dans l'avenir et le développement durable, c'est un privilège, mais aussi toute une responsabilité. Et une responsabilité d'autant plus importante aujourd'hui, dans un marché devenu planétaire, où de très grandes entreprises acquièrent des positions dominantes. Très dominantes. Pensons aux secteurs des technologies et des communications : les changements qu'ils induisent vont jusqu'à redéfinir la notion de frontière. De fait, ils nous conduisent à revoir totalement le concept de proximité en nous permettant d'être connectés 24 heures sur 24, d'un bout à l'autre de la planète.

Les coopératives, elles, sont à peu près toujours ancrées dans un milieu local. C'est, du point de vue de la dépersonnalisation des rapports à laquelle nous faisons face, un avantage certain. Elles se retrouvent toutefois confrontées au défi de respecter leur essence, tout en se donnant la capacité de demeurer pertinentes. Il faut qu'elles gagnent ce pari, qu'elles réussissent à grandir en restant proches des membres et des clients — en y associant, notamment, la redéfinition de la notion de proximité par la technologie et la mobilité.

S'il est un autre enjeu qui, je crois, devra être considéré sérieusement par les entreprises coopératives, c'est de prendre leur place encore plus en mettant en valeur leur contribution, leur résilience et leur solidité.

Ce fut l'un de mes principaux combats. Rien ne justifie que les coopératives ne soient pas au premier plan de l'économie. Si cela s'avérait, on verrait prospérer une économie plurielle, équilibrée, où le monde coopératif aurait sa place aux côtés d'un secteur privé performant et d'un secteur public bien géré. Voilà d'ailleurs un des objectifs fondamentaux du Sommet international des coopératives.

Les coopératives doivent de plus en plus travailler en intercoopération, c'est-à-dire combiner la force du local à celle d'un réseau coopératif mondial. Il arrive encore que certaines se sentent menacées, se ferment sur elles-mêmes et retournent dans leurs terres. Elles ne devraient pas. Le *self help* et la solidarité — en d'autres mots, la capacité de se prendre en charge et de se regrouper pour mieux se développer — ne sont pas des notions réservées aux individus. Elles conviennent parfaitement aux entreprises coopératives. L'union fait la force !

Ma fierté : le développement de la relève

Quand je m'arrête pour réfléchir à mon « bilan », je pense d'abord aux personnes. Je suis fière d'avoir pu aider à développer la relève chez Desjardins. J'aime beaucoup tous mes collaborateurs du comité de direction et du groupe de coordination, soit près de 130 personnes. Pour plusieurs d'entre eux, j'ai eu une influence directe ou indirecte dans leur nomination et le mandat qui leur a été confié.

Je connais très bien chaque membre du comité de direction. Nous nous parlons et nous voyons souvent. Nous avons travaillé ensemble sur de nombreux dossiers et avons fait face à des défis exigeants. Cela soude une équipe, d'autant plus que, pour moi et pour Normand Desautels, de la direction générale, la question des relations personnelles, du climat de travail et du sentiment d'équipe est « non négociable ». Cela a d'ailleurs été très important tout au long de 2015 et en ce début de 2016, dans un contexte préélectoral, de pouvoir conserver un environnement de travail solidaire, serein et positif, en maintenant l'intérêt supérieur du Mouvement au premier plan.

Je sais donc, et cela est important, que le prochain président pourra s'appuyer, dans un climat agréable, sur une équipe solide, dynamique et expérimentée. Que de discussions intéressantes nous avons eues ! Car loin d'être faite de « béni-oui-oui », cette équipe est composée de femmes et d'hommes déterminés, engagés, et qui partagent la passion de Desjardins.

À de nombreux vice-présidents et vice-présidentes, j'ai confié des mandats de développement les sortant de leur zone de confort : je leur ai fait confiance et je suis demeurée disponible pour les appuyer. C'est d'ailleurs l'esprit du « Cercle de *leadership* » de la présidence que j'ai utilisé pour amener plusieurs d'entre eux et elles à faire avancer le Mouvement sur certains thèmes prioritaires. Avec l'appui indéfectible de notre première vice-présidente Ressources humaines, Josiane Moisan, qui n'est pas moins déterminée que moi, j'ai consacré beaucoup de temps à la mise en place d'un processus de revue des talents chez Desjardins, pour l'ensemble des gestionnaires du réseau, de la Fédération et de nos filiales. Ainsi, je connais assez bien, en grande majorité, tous nos directeurs généraux de caisses. Cela a toujours été très important pour moi, car les succès — et souvent les difficultés — de Desjardins dépendent essentiellement des personnes qui y travaillent. Et dans ce grand groupe de *leaders*, il y a beaucoup de talent engagé envers le Mouvement. Cela aussi me donne confiance en l'avenir.

Quant à la gouvernance, je suis tout aussi heureuse du climat général de nos instances. Je remercie tous les membres de nos conseils d'administration de leur travail et de leur soutien. Nous avons mis en place des mécanismes d'évaluation, des programmes de formation et des processus de développement de la relève. Je suis très fière de voir que plusieurs de nos dirigeants expérimentés ont identifié de jeunes collègues qui viennent compléter le profil collectif des conseils d'administration des caisses, de nos conseils régionaux et de nos filiales. Que de chemin nous avons parcouru ensemble !

Tout cela est le fruit de beaucoup de discussions et de travail, et je suis heureuse d'avoir pu contribuer à cette évolution. C'est maintenant à tous ces collègues, collaborateurs et gestionnaires de prendre la relève avec l'ensemble de nos employés.

Une autre élection mémorable

Le 13 novembre 2015, à Antalya, en Turquie, j'ai été élue à la tête de l'Alliance coopérative internationale (ACI) pour un mandat d'au moins deux ans débutant le jour même. J'étais la première Nord-Américaine à obtenir ce poste.

Je me retrouvais soudainement présidente du conseil d'administration d'un organisme créé pour représenter les coopératives dans plus de 95 pays, comptant plus d'un milliard de membres, correspondant à plus de 250 millions d'emplois, et générant des revenus de plus de 3 000 milliards de dollars américains.

Ce fut un véritable marathon, avec une fin de parcours intense. Le 13 septembre, après que Marc m'eut, comme tout au long de ma vie, encouragée à aller au bout de mes projets, j'avais annoncé ma candidature. Dès ce moment, je me suis mise au travail avec Éliane O'Shaughnessy, une collaboratrice de grande confiance, appuyée de Véronique Boivin. Nous avons bâti un programme en trois points faciles à comprendre. Il s'agissait de mots-clés significatifs dans toutes les langues: *engagement*, *leadership* et *croissance*.

J'ai beaucoup insisté sur cette idée générale : « Pour un mouvement coopératif mondial, proche de ses membres, engagé et en croissance. » Je me sentais à l'aise de m'ancrer dans de fortes convictions personnelles et de proposer des actions concrètes pour le mouvement coopératif. De fait, ce thème s'inscrivait dans la continuité de nos orientations chez Desjardins.

L'un des principaux défis de faire campagne dans un organisme international est de se faire comprendre, tout simplement. Entre l'hindi, le mandarin, l'anglais, l'espagnol, le japonais, l'allemand, le russe, le turc, le français et le portugais, il y a un monde ! Mon expérience au sein de l'Alliance m'a permis de le réaliser. Et les différences vont bien au-delà de la langue.

Éliane et moi avons formé une équipe composée de dirigeants du Mouvement, avec Denis Paré et Sylvie St-Pierre Babin ainsi qu'avec d'autres gestionnaires, tels Gaston Bédard, du CQCM, Denyse Guy, du CMC, et Stéphane Bertrand, du Sommet. Nous étions accompagnés de leurs équipes respectives et de ressources de lg2 pour les communications Web. Ainsi, nous avons développé une approche en plusieurs langues qui nous a permis de joindre plus de 1 000 personnes à travers le monde, à intervalles réguliers, pendant six semaines.

Plus de 50 organisations canadiennes et internationales ont officiellement appuyé ma candidature et apposé leur signature sur les différents documents que nous avons produits.

L'une d'entre elles, l'IFFCO (Indian Farmers Fertiliser Cooperative Limited), dirigée par le docteur Awasthi, a joué un rôle important. Le docteur Awasthi, dont j'avais fait la connaissance lors du Sommet de 2012, a décidé d'appuyer activement ma candidature. Il m'a suggéré d'effectuer une visite en Asie et m'a parlé du travail requis pour aller chercher des appuis dans la zone Asie-Pacifique. Je l'ai écouté très attentivement. Il m'a invitée à me joindre à un sommet coopératif Asie-Pacifique organisé par l'IFFCO en octobre, à partir de New Delhi. Par un heureux hasard, je devais déjà me rendre à Lille à l'invitation d'un dirigeant du Crédit Mutuel afin de prononcer une conférence sur l'économie responsable. Éliane et moi avons décidé de faire « d'une pierre plusieurs coups » et d'en profiter pour faire campagne sur le terrain, en Europe, en Angleterre et en Inde. Je n'ose pas vous raconter les péripéties qu'a vécues mon équipe pour défaire et recomposer mon agenda en deux jours !

Après la conférence à Lille, j'ai fait plusieurs rencontres coopératives en France, puis j'ai traversé la Manche afin de rencontrer, à Londres, certains membres très influents du mouvement coopératif britannique de l'ACI — il faut dire que les Britanniques sont à l'origine de l'organisation. Après quoi j'ai rejoint le docteur Awasthi, son équipe de direction et ses invités de plusieurs pays au sommet du mouvement coopératif indien. Quel accueil et quelle expérience ! Ce fut un choc immense. Le voyage que j'ai effectué en Inde fut, comme pour tous les Occidentaux qui séjournent dans ce pays, un bouleversement important. Car si ce séjour a été court, il a aussi été très intense. Voir tant de gens aux prises avec des problèmes environnementaux, sociaux et économiques sérieux ; tant de gens dans les temples, dans les rues. Et la beauté des temples, de la musique, de l'art, et toutes ces couleurs…

Pendant trois jours, ce fut un feu roulant de nouveautés et de rencontres chaleureuses. Le 28 octobre eut lieu un grand banquet offert par l'IFFCO à Jaipur. Nous étions dans un ancien palais entouré de jardins magnifiques, baignés d'une lumière subtile. Les odeurs, les couleurs, la musique et les danses traditionnelles me donnaient l'impression d'être dans un conte des mille et une nuits. Tout à coup, on m'invita à monter sur scène, à parler et… à participer à l'une de ces danses qui consistent à tourner avec une autre personne à une vitesse folle. Comme je portais des talons hauts, il arriva ce qui devait arriver : l'un de mes talons pointus glissa dans une fissure du plancher. Cela a naturellement ralenti ce tourbillon ! Je m'en suis assez bien sortie, mais l'incident a mis fin à ce manège qui aurait pu tourner, c'est le cas de le dire, un peu mal ! En somme, ce fut une prise de contact très personnelle avec les dirigeants élus de l'IFFCO et leurs invités, en provenance du Japon, de la Corée, de la Mongolie, du Népal, du Bangladesh et de la Malaisie.

J'ai eu à livrer des messages d'engagement et à répondre à plusieurs questions. J'étais essentiellement entourée d'hommes, gestionnaires ou dirigeants élus de leur organisation respective ; j'ai senti que je gagnais leur appui, malgré une grande différence culturelle.

Nous sommes rentrées à Montréal pour mieux repartir huit jours plus tard à Antalya, où se tiendrait la réunion de l'Alliance afin d'élire le remplaçant ou la remplaçante de dame Pauline.

Entre le 7 et le 13 novembre, jour du vote, mes journées, tout comme celles d'Éliane et de la petite équipe qui m'entourait, commençaient vers 6 h 30 pour se terminer vers minuit. Tous les jours, nous dressions un programme de la journée et nous nous mettions en marche. Je pouvais compter sur l'aide de toute la délégation canadienne. Au total, il y avait 30 Canadiens, dont 11 détenaient le droit de vote. De nombreuses rencontres furent tenues avec les délégués de tous les pays représentés, en provenance d'Europe, d'Afrique, d'Asie et d'Amérique. Les questions se multipliaient — sur moi, sur Desjardins et sur le Canada.

La veille de l'élection, j'ai participé à un panel avec les trois autres candidats en lice, devant tous les membres votants. J'ai été la dernière à m'exprimer sur l'ultime question, posée, en anglais, par dame Pauline. Elle nous demandait d'expliquer en 30 secondes nos priorités pour l'ACI. J'ai répondu : « *Unite, promote and develop* », ce qui a généré spontanément une réaction très positive dans la salle.

Le matin de l'élection, l'équipe qui m'entourait a accueilli les délégués avec un petit drapeau canadien. L'ambiance était excellente, et tous ont accepté les drapeaux. J'étais cette fois la première à m'adresser à l'assemblée. J'ai fait, comme mes trois confrères, un discours de sept minutes dans lequel j'ai mis l'accent sur le renforcement de la proximité avec les membres de l'organisation, sur l'importance de la relève, ainsi que sur la création de communautés vouées au partage de pratiques, à l'innovation et au développement du mouvement coopératif mondial. J'ai annoncé que j'accorderais une importance particulière à la communication ainsi qu'à l'établissement d'une identité forte, pour que l'ACI joue un véritable rôle de catalyseur au sein du monde coopératif. L'importance de la croissance et de la solidité du mouvement coopératif mondial, en insistant sur le levier d'intercoopération, était aussi au cœur des sujets que j'ai abordés. Je me suis permis de développer quelques-unes de mes idées en français et en espagnol — mon discours étant principalement en anglais —, et j'ai plaidé pour la création d'un monde plus juste et inclusif, ainsi que pour un engagement envers le développement durable. Mes collègues ont fait à leur tour d'excellentes allocutions. Il y avait toute une fébrilité dans la salle !

L'assemblée s'est poursuivie pour permettre au comité d'élection de faire le décompte des votes et les validations requises.

À midi, nous ne connaissions pas encore le résultat. Je me retrouvais dans une situation similaire à celle précédant mon élection à la présidence du Mouvement Desjardins. Sauf qu'il s'agissait cette fois d'un vote à un seul tour : nous connaîtrions le candidat élu à la fin du premier dépouillement.

Mon équipe avait établi un pointage qui nous indiquait la tendance par pays, mais qui comportait tout de même une bonne dose d'imprécision, surtout lorsque nous avons compris que certains votes par procuration auraient un impact : nous n'avions pu communiquer qu'avec une partie des membres des pays concernés !

Ce midi-là, j'ai cru bon de préparer mon équipe, gonflée à bloc, au pire scénario. Je préférais que nous soyons en état de défaite annoncée que d'espoir incontrôlé. Cela a jeté une douche froide sur la délégation, mais je me disais qu'il valait mieux ne pas trop s'emballer ! J'ai tout de même pris le soin de préparer mon discours de remerciement.

Quelques heures plus tard, dame Pauline montait sur scène pour dévoiler les résultats du scrutin. J'obtenais plus de 400 votes, soit une double majorité. C'était l'euphorie ! S'ensuivit un défilé de délégués avec leurs cadeaux, foulards, marques d'appréciation de toutes sortes et demandes de photos. C'est une expérience que je n'avais encore jamais vécue. Je croulais sous la chaleur des huit foulards et autres vêtements que l'on me mettait sur les épaules pour les photos!

Je me réjouissais de m'associer à un autre projet emballant à l'échelle internationale, basé sur des valeurs de coopération qui me sont chères, avec des gens engagés et enthousiastes.

À la fin de la soirée, alors que j'étais seule dans ma chambre, mon portable a sonné. C'était Marc, à qui j'avais parlé quelques heures auparavant. Il était très heureux de ma victoire et avait bien hâte que je sois de retour à la maison.

Peinant à dormir alors que l'effet de l'adrénaline se faisait toujours sentir, j'ai entendu mon portable sonner à nouveau... Mes proches de Desjardins s'interrogeaient sur mes déplacements et mon retour à la suite de l'élection. Ils s'inquiétaient en raison de ce qui venait de se produire à Paris. Des dizaines de morts, causées par des extrémistes. Je ne pouvais y croire, après avoir vu des gens de pays en conflit se parler durant notre assemblée. D'une certaine manière, cela donnait un sens particulier à l'action que j'allais mener au sein de l'Alliance coopérative internationale. Le monde a plus que jamais besoin de solidarité et de coopération.

Quand je regarde en avant

Le mois d'avril 2016 arrivera rapidement. Bien que j'y sois préparée psychologiquement et qu'il y ait une période de transition prévue, ce sera un passage exigeant. D'abord, sur le plan du rythme de travail, des courriels reçus, des questions à régler et, probablement, du changement incontournable dans les relations humaines et interpersonnelles, je serai toujours la même personne, mais n'occuperai plus la même fonction. Je n'aurai donc plus les mêmes pouvoirs chez Desjardins.

Pour certains, cela ne modifiera en rien leur attitude et la qualité de la relation que nous entretenons. Pour d'autres, cela marquera un changement dans leur façon d'agir. Je m'y attends. C'est, en quelque sorte, un moment de vérité, où je reconnaîtrai mes vrais amis, ceux et celles qui m'apprécient au-delà de la fonction que j'occupe.

Par ailleurs, ce sera pour moi une période d'accompagnement du prochain président. Je l'anticipe avec plaisir, en sachant que nous aurons bien des sujets à discuter et que je serai là pour donner mon appui. Évidemment, son équipe de direction devra rapidement être mise en place. Je ferai de mon mieux pour aider sans m'imposer.

Au cours des derniers mois, j'ai eu le sentiment de passer moins de temps avec ma famille, que j'aime beaucoup, et avec ma mère en particulier. Nous avons passé un merveilleux Noël et avons joyeusement célébré son 92ᵉ anniversaire. Elle est toujours si belle, si jeune d'esprit, moderne et alerte! Je souhaite être comme elle à ma retraite. Elle a de nombreuses activités (dont le bridge, où elle excelle!), a réalisé des voyages avec mon père, et s'est fait de nombreuses amies. Elle a également continué à s'occuper de nous en prenant le temps de lire, de s'informer et de s'impliquer dans son entourage. J'ai beaucoup d'admiration pour elle. Je peux toujours lui demander conseil, car son jugement sur les situations et les personnes est très sûr. Mais sa santé m'inquiète un peu. Je voudrais passer plus de temps avec elle, car elle a toujours été là pour toute la famille. Chère maman, merci pour tout ce que tu as fait pour nous!

Par ailleurs, moi qui suis une passionnée de cuisine, j'avoue que, depuis deux ans, j'ai eu moins souvent le plaisir de préparer des petits plats pour la famille et les amis. Je regarde donc mes nombreux livres de cuisine, sagement classés dans ma bibliothèque, en me disant que je reprendrai l'habitude de les parcourir le soir, avant de me coucher, et de décider dès le mercredi des menus du week-end en me laissant inspirer par les images!

Sauf pour les recettes de pâtisseries, qui demandent de la précision, il est très rare que je suive à la lettre une recette. Je les lis pour en retenir le concept, puis j'y intègre, à ma façon, les ingrédients dont je dispose. Anne-Sophie m'a même proposé de tourner une série de vidéos pour présenter nos recettes familiales et de les mettre en ligne, vu l'intérêt de plusieurs pour la cuisine. Un nouveau projet, qui sait?

Ce qui est certain, c'est que je souhaite suivre quelques cours pour bonifier mes tours de main culinaires. J'en ai d'ailleurs parlé à quelques amis, dont Normand Desautels, qui est un excellent cuisinier. Nous nous sommes dit que nous pourrions améliorer notre technique de pâtes à l'italienne!

Ce qui m'amène à penser aux voyages… Bien sûr, il y aura les voyages d'affaires, mais j'imagine déjà le plaisir de préparer un voyage sans la contrainte d'être joignable en tout temps. Voyager en fonction de mon horaire personnel: enfin! Marc et moi avons fait quelques voyages des plus agréables avec des amis. Et quel plaisir nous avons eu à découvrir ensemble de nouveaux espaces, des musées, et à faire des activités qui nous sortent de la routine! Il y a certainement des projets de voyages collectifs à venir.

Je pense aussi à la bicyclette, au ski de fond et à la marche en montagne. Marc et moi adorons ces sports d'espace et de liberté. Nous nous rappelons avec émotion de belles randonnées au Québec et ailleurs, dont ce mémorable voyage à bicyclette en Toscane, avec Anne-Sophie. Toutes ces collines à descendre et à grimper… la fameuse côte de Volterra, faisant quelques kilomètres de montée continue sous le soleil toscan!

Et je conclurai comme j'ai commencé : sur la musique. J'ai sincèrement le goût de m'y remettre un peu, et surtout de partager le plaisir de la musique avec d'autres passionnés. En 2015, j'ai d'ailleurs eu le plaisir d'accompagner les superbes voix de Desjardins que sont Sylvain Dessureault, Benoît Turcotte, Frédéric Dussault, Claude Paré, Lucie Gosselin, Laurence St-Denis et Christine Law dans le cadre de rencontres Desjardins et d'une activité au bénéfice de la Fondation Desjardins.

J'ai hâte de pouvoir m'y exercer à nouveau, de jouer les préludes et fugues du *Clavier bien tempéré* de Jean-Sébastien Bach. J'aime particulièrement le *Prélude en do majeur*, bien connu, et le *Prélude en mi bémol mineur*. J'ai aussi le projet de reprendre les *Suites françaises* et le *Concerto italien*.

Du côté de Beethoven, j'ai beaucoup de plaisir à interpréter ses sonates pour piano, remplies d'intensité et d'émotion. Et je reprendrai certainement mes cahiers de nocturnes et de valses de Chopin, puis me rendrai à Satie et à Ravel, en passant par un apprentissage du jazz… que je n'ai jamais vraiment maîtrisé lors de mes études au Conservatoire.

J'ai aussi hâte de me rebrancher, avec Marc et les amis, sur la vie culturelle de Montréal : théâtre, danse, concerts, opéra et cinéma. Nous avons toujours été de fidèles abonnés du TNM, de l'Opéra de Montréal, de l'Orchestre symphonique de Montréal, des Grands Ballets et j'en passe; et les années à la présidence de Desjardins ont donné lieu à de nombreuses et superbes invitations, sans que je puisse vraiment en profiter.

J'espère également pouvoir aider la relève à prendre son envol et à se développer. Car, dans ma vie, ce qui est important et qui le sera toujours, ce sont les personnes. Je regarde donc en avant avec enthousiasme et ouverture, en me disant que, lorsque la santé est au rendez-vous, tout est possible et agréable pour des gens de bonne volonté!

Finale

Sydney, en Australie, le 1er mars 2016.

Dans ma chambre d'hôtel, je peaufine mon discours. Le 9 avril, je quitterai la scène lors de notre assemblée générale annuelle. Ce sera l'ultime confirmation: je ne serai plus présidente de Desjardins.

Je ne sais pas comment je me sentirai. Comme après les concours, lorsque je jouais du piano? Fière de m'être rendue au bout de quelque chose? Inquiète devant l'inconnu?

Il y a de magnifiques défis qui m'attendent, notamment à l'international. Est-ce que cela me suffira?

Le futur sera fait de bien d'autres choses, peut-être moins tangibles, mais tout aussi importantes. Au début de la soixantaine, j'ai un avenir devant moi. Lequel exactement ? Il n'y a rien de mieux que de ne pas le savoir trop précisément, de se battre pour continuer à le forger.

Merci la vie !

Mot du collaborateur

De son bureau du 40ᵉ étage du Complexe Desjardins, sur le boulevard René-Lévesque Ouest, Monique Leroux, dont je viens à peine de faire la connaissance, me désigne Boucherville. On distingue très bien la ville en cette fin de journée ensoleillée de l'été 2015.

Cette femme, à la fois avenante et consciente des limites à ne pas dépasser, a l'air franchement émue en regardant par la fenêtre et en m'expliquant que c'est là que tout a commencé pour elle, par du pur bonheur.

Puis elle frappe légèrement sur la table. « Allez, mettons-nous au travail », me dit-elle, un franc sourire accroché à son beau visage encore juvénile.

À qui ai-je affaire ?

Tout au long de nos entretiens, qui me serviront à mettre les mots en place pour qu'elle puisse raconter son histoire, dans son style, à sa manière, avec les limites qu'elle imposera, j'observerai une battante, une femme qui mord dans la vie et qui ne semble pas vouloir passer sur Terre sans laisser de traces.

À de nombreuses reprises, nos rencontres, qui s'échelonneront sur plusieurs mois, devront être déplacées, entrecoupées d'appels importants ou de messages devant être transmis immédiatement par sa garde rapprochée. Cela se fera toujours dans le respect, avec une grande politesse. Avec franchise, aussi. Quand Monique Leroux dit: «Il va vraiment falloir que je prenne un appel», on ne doute pas de la sincérité de son annonce ni de son intention inconditionnelle de procéder.

Autoritaire, madame Leroux? Le gant de velours est bien en place, en évidence. Je nuancerais: plutôt sûre d'elle, décidée, en avance sur ce qui se passe et, surtout, en contrôle.

«Je vais avoir du plaisir», me suis-je dit en commençant ce projet. Et ce fut le cas.

Moi qui suis un «vert» depuis que je suis en âge de mettre des sous à l'abri, j'ai découvert un univers que je pensais connaître, celui de la coopération; il est beaucoup plus étendu et profond que je ne l'aurais imaginé.

J'ai ensuite rencontré une femme qui, après m'avoir jaugé, m'a fait confiance. Première de classe dans tant d'aspects de sa vie, elle donne l'impression qu'elle est venue sur Terre plusieurs fois en même temps et qu'elle a réussi partout où elle a atterri. J'ai, en fait, découvert beaucoup plus que la présidente de Desjardins. J'ai rencontré une *leader* de sa génération, dans tous les sens du terme. Quel beau plaisir que celui d'écrire pour des gens remarquables!

Mon travail fut de l'accompagner dans le message qu'elle avait à livrer. Je crois avoir réussi, enfin, que *nous* avons réussi. L'entreprise en valait la chandelle, et ce livre fera œuvre utile, j'en suis convaincu.

Benoit Gignac

Merci !

J'aime les gens. J'aime exprimer mes sentiments et mon appréciation à ceux et à celles qui m'entourent — ne dit-on pas que donner fait plus plaisir que recevoir ? Ce livre me donne donc l'occasion de dire « Merci ! » à plusieurs personnes qui m'ont aidée et soutenue au fil des années. À chacune et chacun, vous vous reconnaîtrez, je dis : « Merci pour tout ! »

Merci à toutes celles et tous ceux qui m'ont accompagnée dans mes études en musique, ma formation en comptabilité et mes emplois chez Clarkson Gordon, Ernst & Young, RBC et Québecor. Vous m'avez aidée à devenir la personne que je suis.

Merci à mes collègues du conseil d'administration du Mouvement Desjardins et des conseils des filiales, à mes collaborateurs du comité de direction du Mouvement, aux membres de l'Assemblée des représentants et du Groupe de coordination du Mouvement ainsi qu'aux présidentes et présidents, directrices générales et directeurs généraux des caisses. Merci à l'équipe du bureau de la présidence, qui a toujours été là pour réaliser l'impossible au quotidien ! Sans votre appui à tous, je n'aurais rien pu accomplir.

Merci à nos partenaires et collègues de la communauté des affaires. Merci aux membres du conseil d'administration et à l'équipe de l'ACI avec qui j'entreprends une nouvelle aventure tellement stimulante.

Je tiens aussi à remercier Benoit Gignac, qui fut un complice précieux et patient dans la rédaction de ce livre. Merci à Marc, qui m'a comme toujours donné les conseils et apporté l'aide qui ont fait la différence, et à Danielle Morin, qui, fidèle à son habitude, m'a soutenue si efficacement dans ce projet.

Merci également à André Forgues, un collègue que j'apprécie profondément, pour son accompagnement éclairé dans la réalisation de cet ouvrage et pour son appui exceptionnel dans la réalisation de mon mandat à la présidence de Desjardins.

Enfin, merci surtout à ma famille, à ma mère et à Marc, mon complice de toujours, pour sa patience et son soutien exceptionnels. Je vous aime !

Prix et distinctions

- Hommage rendu par l'Hôpital général juif de Montréal, novembre 2015
- Doctorat *honoris causa* ès sciences militaires, Collège militaire royal du Canada, juin 2015
- *Fellow* de l'Institut des administrateurs de sociétés, juin 2015
- Doctorat *honoris causa* en commerce, Saint Mary's University (N.-É.), mai 2015
- Membre du Club des entrepreneurs, Conseil du patronat du Québec, avril 2015
- Personnalité de l'année *La Presse*, catégorie gestion et entrepreneuriat, décembre 2014
- PDG de l'année — Grande entreprise, *Les Affaires*, décembre 2014
- Personnalité de la semaine *La Presse*, octobre 2014
- Nomination au 19e rang des 50 personnalités du monde des affaires les plus influentes au Canada selon *Canadian Business,* août 2014
- Nomination parmi les 20 femmes les plus influentes dans le sport et l'activité physique par l'Association canadienne pour l'avancement des femmes, du sport et de l'activité physique (ACAFS), janvier 2014
- Lieutenante-colonelle honoraire du Régiment de la Chaudière, décembre 2013
- Personnalité de la semaine *La Presse*, août 2013

- Mérite estrien, *La Tribune*, août 2013
- Officière de l'Ordre national du Québec, juin 2013
- Prix Hommage, Ordre des comptables professionnels agréés du Québec, juin 2013
- Prix Excellence dans les affaires, Association canadienne des libertés civiles, mai 2013
- Doctorat *honoris causa*, Université de Montréal — HEC Montréal, mai 2013
- Mercure Leadership Germaine-Gibara, Fédération des chambres de commerce du Québec, avril 2013
- Médaille du jubilé de diamant de la reine Élisabeth II, juin 2012
- Doctorat *honoris causa*, Université de Sherbrooke, septembre 2012
- Prix Femmes d'exception, Fondation du Y des femmes de Montréal, septembre 2012
- Membre de l'Ordre du Canada, juin 2012
- Doctorat *honoris causa*, École de gestion Telfer, Université d'Ottawa, juin 2012
- Prix Visionary 2012, Women Corporate Directors (New York), mai 2012
- Chevalier de l'Ordre national de la Légion d'honneur, avril 2012
- Insigne de Chevalier de l'Ordre de la Pléiade, mars 2012
- Personnalité financière de l'année au Québec, *Finance et Investissement*, février 2012

- Médaille du Centre Jacques Cartier, octobre 2011
- Prix Woodrow-Wilson pour la présence sociale d'une entreprise, octobre 2011
- Prix honorifique Catalyst Canada 2011, juin 2011
- Doctorat *honoris causa* en droit (LL. D.), École de gestion John-Molson, Université Concordia, juin 2011
- Doctorat *honoris causa* en droit civil (LL. D.), Université Bishop's, mai 2011
- Prix d'honneur 2011 du Forum des politiques publiques, janvier 2011
- Nomination comme l'une des 25 visionnaires en action du Canada par *La Presse, The Globe and Mail* et CTV, novembre 2010
- Prix Réalisations, Réseau des femmes d'affaires du Québec, octobre 2010
- Prix Personnalité d'affaires audacieuse, *Les Affaires*, septembre 2010
- Doctorat *honoris causa*, Université du Québec à Chicoutimi, 30 avril 2010
- Prix Excellence en gestion, Université McGill, février 2009
- Nomination au palmarès des 100 femmes les plus puissantes du Canada du Women's Executive Network (WXN), 2003, 2004, 2007 et Temple de la renommée 2008

- Personnalité de la francophonie économique, Comité national canadien du Forum francophone des affaires, octobre 2008

- *Leader* dans le «top 500» de la revue *Commerce*, juillet 2008

- Personnalité de la semaine *La Presse*, mars 2008

- Femme d'affaires de l'année 2008, Institut du choix des consommateurs, février 2008

- Directrice administrative et financière de l'année 2007, CFO Canada, février 2008

- Nomination au palmarès des 25 femmes à surveiller du *Women's Post*, janvier 2008

- Prix Leadership, Association des femmes en finance du Québec, 2007

- Nomination au «top 25» de l'industrie financière du Québec, *Finance et Investissement*, 2005, 2006, 2007 et 2008

- *Fellow* de l'Ordre des FCMA du Canada, 2006

- Bâtisseuse, revue *Commerce*, 1998

- Médaille de l'Université du Québec à Chicoutimi, 1994, 1993

- Personnalité de la semaine *La Presse*, 1993

- *Fellow* de l'Ordre des comptables professionnels agréés du Québec (FCPA), 1993

- Plusieurs bourses et prix en musique et en gestion

Sources

1. La Presse canadienne, « Aucun favori », *Le Journal de Montréal*, le samedi 15 mars 2008, p. 43.

2. Claude TURCOTTE, « Une femme est élue à la direction du Mouvement Desjardins », *Le Devoir*, 17 mars 2008, p. A2.

3. Annie DROLET, « Les défis de Monique Leroux au Mouvement Desjardins », *Le Soleil*, le mardi 18 mars 2008, p. 37.

4. Gérard BÉRUBÉ, « Monique Leroux : le pouvoir de l'exemple », *Le Devoir*, 9 juin 2011, p. B3.

5. Louise GENDRON, « Six conseils à ma fille », *Châtelaine*, septembre 2013, p. 136 et 138.

6. Gabrielle LAVOIE, « Catastrophe de Lac-Mégantic – *Les gens avaient besoin d'aide sur place, sur-le-champ* », *Revue Desjardins*, volume 79, numéro 3, 3e trimestre 2013, p. 8.

7. *Ibid.*, p. 8.

8. Monique F. LEROUX, *Carnet de rencontres*, Lévis, Les Éditions Dorimène, 2014, p. 14-15.

9. *Ibid.*, p. 16.

10. *Ibid.*, p. 36.

11. *Ibid.*, p. 36.

12. *Ibid.*, p. 37.

13. *Ibid.*, p. 69.

14. *Ibid.*, p. 74.

15. *Ibid.*, p. 85.

16. *Ibid.*, p. 146.

17. *Ibid.*, p. 147.

18. *Ibid.*, p. 158.

19. www.internetlivestats.com

20. *Ibid.*

21. «La mobilité au Québec: des appareils aux usages multiples», une enquête *NETendances 2015* réalisée par le CEFRIO.

22. *The Economist,* «The truly personal computer», 28 février 2015.

À propos de
la Fondation Desjardins

La Fondation Desjardins est un organisme de bienfaisance qui contribue à la réussite éducative de nos jeunes depuis 1970. Elle le fait notamment par l'octroi de prix, de bourses d'études et de dons et en soutenant divers projets visant à encourager la persévérance scolaire.

Elle permet à un grand nombre d'étudiants d'accéder à des études de niveau postsecondaire et les encourage à persévérer jusqu'à l'obtention du diplôme visé. Elle reconnaît et valorise également l'engagement bénévole et contribue au mieux-être des collectivités.

Tous les droits d'auteur perçus pour la vente de ce livre seront versés à la Fondation.

Pour plus d'information :
www.desjardins.com/fondation

Chez mes parents, à l'âge de 9 mois

Avec ma cousine Danielle (à droite) et mes cousins, sur la patinoire faite par mon grand-père

Avec mes parents, à Boucherville

À l'âge de 2 ans

Mon frère Martin avec Fédor

Avec mon frère Martin et notre
grand-père Philippe Trudeau

Avec Marc, chez mes parents, avant notre
mariage à Boucherville, en 1974

Photo des mères et des enfants de notre groupe d'adoption à Beijing, en décembre 1996

Anne-Sophie et moi, en décembre 1996, à Montréal

Notre photo de famille « officielle », en décembre 1997

Avec mes parents, devant la maison familiale, à Boucherville

Photo de famille utilisée pour nos cartes de Noël

Une belle photo de mes parents au chalet,
à North Hatley

Comme présidente du congrès des comptables agréés à Montréal (1988)

Avec H. Marcel Caron et ma collègue et amie Diane Blais

Lancement des équipes de réflexion stratégique, le 19 septembre 2008, à Bromont

Avec Alban D'Amours, au début de mon mandat

Avec Anne-Sophie, le 15 mars 2008, immédiatement après l'annonce de mon élection à la présidence du Mouvement Desjardins

© Desjardins

LA REVUE DES DIRIGEANTS ET DU PERSONNEL

DESJARDINS

Centre d'affaires moyenne entreprise
Premier bilan

Caisse de Saint-Albert
Le CA se donne en spectacle...

Gestion des avoirs
Faire émerger le talent

ASSEMBLÉES GÉNÉRALES ANNUELLES
« Ma vision d'avenir »
– Monique F. Leroux, présidente et chef de la direction

© Desjardins

En page couverture de la *Revue Desjardins*, une photo prise lors de mon premier discours comme présidente, à l'assemblée générale de 2008

© Desjardins

Les membres de l'assemblée des représentants, réunie pour la première fois après mon élection, au Centre de congrès et d'expositions de Lévis

Les délégués à notre 21ᵉ congrès, tenu le 6 avril 2013

Lors du 20ᵉ congrès, le 27 novembre 2009, avec Rosario Tremblay et la jeune Ophélie Dorion

Les membres du conseil d'administration du Mouvement Desjardins en 2015

Les membres du comité de direction du Mouvement Desjardins en 2015

Gaston Bédard, Suzanne Maisonneuve-Benoit et Jacques Sylvestre, en décembre 2015

Avec Serge Cloutier, en décembre 2015

Lancement du livre *Carnet de rencontres*, sur la coopération, au Sommet international des coopératives, en octobre 2014. À mes côtés, Rosario Tremblay ; derrière, André Forgues, Denis Richard, Arnold Kuijpers, Dick Cheney, dame Pauline Green, Kathy Bardswick, Nelson Kuria et Alban D'Amours

Nos assemblées générales annuelles de 2012

Conférence de presse du lancement de l'Année internationale des coopératives, organisée par l'ONU, à New York, en 2012

Avec les partenaires de Proxfin et de DID, le 6 octobre 2014, lors du Sommet international des coopératives de Québec

À l'occasion des Jeux du Canada, en août 2013, *La Presse* nous nomme personnalités de la semaine, Tom Allen et moi.

Aux assemblées générales annuelles de 2014, avec Michel Lucas, du Crédit Mutuel, et Ed Rust, de State Farm, pour marquer la transaction entre State Farm, le Crédit Mutuel et Desjardins

À la veille du Sommet international des coopératives, en 2014, je reçois les membres des conseils d'administration de l'Alliance coopérative inter-nationale et du Mouvement Desjardins ainsi que quelques autres invités au tout nouvel édifice du 150, rue des Commandeurs, à Lévis.

Lors de la remise d'un doctorat *honoris causa* à HEC Montréal,
le 5 mai 2013, avec ma filleule Catherine, qui recevait également
son diplôme, ses parents, ma mère et Marc

Je m'adresse à un auditoire principalement composé de jeunes à l'occasion
du lancement du Desjardins Lab, en décembre 2015.

Le Sommet international des coopératives 2014, à Québec

Représentant le Canada au B7 summit, à Berlin, en mai 2015, je suis reçue par Angela Merkel avec les autres participants.

Table ronde des quatre candidats animée par la présidente sortante, lors de l'élection à la présidence de l'Alliance coopérative internationale, en novembre 2015, à Antalya, en Turquie

Avec la délégation canadienne, après mon élection à la présidence de l'Alliance coopérative internationale